A Max por su ejemplo de dedicación y su constante apoyo.

A Therci, Janet, Bathia, Enrique, David así como a mis nietos Daniel, Alan, Arturo, Talia, Gabo, Andrea, Eitán, Igal y Uriel, que me han acompañado en todos los avatares de mi vida

Colaboradora:

Rocío Ivonne de la Vega Morales
Maestría en Psicología UNAM.
Residencia en Psicoterapia Infantil

TRATAMIENTO Y PREVENCIÓN DE LA OBESIDAD EN NIÑOS Y ADOLESCENTES

Guía práctica para psicólogos, nutriólogos, padres y maestros

Rosa Korbman de Shein

Catalogación en la fuente

Korbman de Shein, Rosa
Tratamiento y prevención de la obesidad en niños y adolescentes : guía práctica para psicólogos, nutriólogos, padres y maestros. -- México : Trillas, 2007.
165 p. ; 23 cm.
Bibliografía: p. 151-154
Incluye índices
ISBN 968-24-7699-2

1. Niño, Estudio del. 2. Obesidad - Tratamiento. I. t.

D- 649.3'K219t LC- RJ399.C6'K6.8

División Administrativa, Av. Río Churubusco 385, Col. Pedro María Anaya, C.P. 03340, México, D. F.
Tel. 56 88 42 33, FAX 56 04 13 64

División Comercial, Calzada de la Viga 1132, C.P. 09439 México, D. F., Tel. 56 33 09 95, FAX 56 33 08 70

www.trillas.com.mx

Miembro de la Cámara Nacional de la Industria Editorial, Reg. núm. 158

Primera edición, enero 2007*
ISBN 968-24-7699-2

Impreso en México
Printed in Mexico

Prólogo

En los últimos 25 años nuestro país ha sufrido una transición epidemiológica caracterizada por disminución significativa en la prevalencia de desnutrición infantil, en tanto que la de sobrepeso y obesidad ha incrementado tan rápidamente que hemos alcanzado o incluso superado la observada en países industrializados.

Si bien es cierto que este cambio nutricional se debe a la asociación de un aumento notable del consumo de alimentos industrializados de gran densidad calórica, con la disminución de la actividad física cotidiana al privilegiarse actividades escolares y recreativas sedentarias, es evidente que además están involucrados determinantes genéticos que modulan por un lado la cantidad y calidad de la ingesta y, por otro, la velocidad de síntesis, la localización y el volumen del depósito de grasa corporal; pero que también existen condiciones culturales que contrarrestan la prevención primaria y secundaria al dificultar la identificación temprana del exceso de peso, su reconocimiento como un estado patológico y la búsqueda intencionada de morbilidad relacionada con éste.

Es por ello indispensable que la población general y los prestadores de servicios de salud estén conscientes de la importancia que tienen: evitar el desarrollo de la obesidad incluso desde los primeros meses de la vida, diagnosticar y calificar de manera oportuna y adecuada el sobrepeso, determinar las complicaciones que se generan por el exceso de masa adiposa abdominal y ectópica, y establecer acciones encaminadas a la resolución del problema.

La difusión de aspectos relacionados con la obesidad infantil es, consecuentemente, una necesidad impostergable en nuestra sociedad, y no extraña por ello, para los que tenemos el placer y el honor de colaborar con ella, que la Dra. Rosa Korbman de Shein, reconocida no sólo por su excelencia académica y profesional en el área de la Psicología infantil sino, además, por su capacidad para hacer sencillo lo complejo, haya decidido escribir la presente obra, que además de aportar conceptos antropológicos, médicos y nutricionales de niños y adolescentes con obesidad, señala de manera relevante aspectos conductuales y psicológicos del individuo y de su familia que se relacionan, como causa o como efecto, con el exceso de peso.

Al valor que por lo anterior tiene el libro, se debe agregar que acorde con la maestría de la doctora Korbman de Shein, los aspectos patogénicos se presentan con un lenguaje tan sencillo y simple, que lo hacen atractivo y entendible para la población en general, por lo que será indudablemente de gran utilidad y ayuda para los padres de familia, los maestros y muchos otros que influyen de manera directa o indirecta en la calidad de la salud de los niños y adolescentes.

Dr. Raúl Calzada León
Jefe del Servicio de Endocrinología
del Instituto Nacional de Pediatría

Índice de contenido

APÉNDICES

Introducción

La obesidad es un fenómeno que ha acompañado a la humanidad desde los principios de la historia. La imagen más antigua de un ser humano obeso corresponde a la figura de una mujer extremadamente obesa, que fue llamada por sus descubridores la *Venus de Willendorf*, en Austria. Es una pequeña estatuilla de terracota de escasos 11 cm de altura y 3 a 5 cm de ancho, y cuenta con una edad de 24 000 años antes de nuestra era. Es una imagen muy diferente de las que se ven en el Renacimiento como la *Venus de Milo*, pero semejante a las pinturas de mujeres obesas de Rubens y de su época; incluso caen en este último grupo, las mujeres indígenas pintadas por Diego Rivera como aquella que representa a la madre tierra en el mural que pintara en la Escuela Nacional de Agricultura Chapingo.

Entre la *Venus de Willendorf* y la imagen de belleza del siglo XXI hay un abismo cultural enorme en lo que respecta al concepto de hermosura de la mujer puesto que hoy día se valoran como bellas las mujeres extremadamente delgadas.

Esta actitud, en la búsqueda de una esbeltez extrema, es lo que ahora ha llevado al incremento de los trastornos de la alimentación como la anorexia nerviosa y la bulimia.

Contrario a la búsqueda de la esbeltez, aparece hoy día la obesidad, que se ha transformado en una enfermedad mundial que no respeta clases sociales ni económicas.

Los responsables de este fenómeno son las industrias alimentarias ya que les resulta más económico producir alimentos baratos obesogénicos sin valor nutritivo, como hamburguesas, pizzas, tacos y toda clase de golosinas, en lugar de producir alimentos propicios para una dieta sana y balanceada.

También los medios de comunicación han contribuido a la promoción de este tipo de alimentos, favoreciendo su consumo, sobre todo influyendo en los niños y jóvenes.

Es importante hacer hincapié en lo que las ciencias médicas están descubriendo sobre los efectos negativos del sobrepeso y de la obesidad en la salud. Se ha encontrado una relación alta entre obesidad y problemas cardiovasculares, ortopédicos, endocrinológicos y diabetes, además de otros que son motivo de preocupación para las autoridades de salud.

Esto no ocurre sólo en México sino en todo el mundo, incluso en otros países del tercer mundo. Así, la obesidad ya comienza a considerarse como una epidemia que azota a la especie humana y que debe tratarse como una enfermedad.

Por todo lo anterior, consideramos que este libro aparece en un momento crítico en el que se necesitan tomar medidas para controlar la epidemia que empieza a constituir el problema de la obesidad. Existe escasa bibliografía e investigación respecto de la obesidad infantil, y esta obra abre brecha en dicho tema.

Este libro está dirigido tanto a padres, nutriólogos, psicólogos, psicoterapeutas y otros profesionistas interesados en conocer qué es la obesidad y su importancia en el campo de la salud, además de ofrecer soluciones encaminadas a manejarla y prevenirla.

Plantea el problema de la obesidad desde diversos ángulos, incluso una parte importante que es el manejo psicológico, aspecto fundamental que puede ser utilizado hasta por los padres, pues les da la posibilidad de comprender la situación de la obesidad y aplicar las medidas necesarias.

El capítulo 1 habla de la importancia de la obesidad, considerándola como discapacidad tanto en el desarrollo físico como el social en el niño y en el adolescente, presenta algunas estadísticas de México y de otros países sobre su incidencia, y menciona brevemente las causas y el incremento de esta enfermedad. Además, presenta la definición de obesidad, así como una clasificación de los tipos de obesidad.

El capítulo 2 incluye el diagnóstico de la obesidad y los métodos que se utilizan para medirla, así como los aspectos genéticos y hereditarios de esta condición como una de las formas que determinan la obesidad. El capítulo 3 muestra las repercusiones en la salud, incluso las complicaciones médicas que son el resultado de la obesidad.

Los capítulos 4 y 5 hablan de las repercusiones psicológicas en el niño y el adolescente, explicando de qué manera la familia impulsa la sobrealimentación y crea sujetos obesos. Asimismo, se mencionan conductas que llevarán a crear en el niño o el adolescente una imagen corporal dañada y una baja autoestima, además de presentar síntomas de depresión y aislamiento. Se hace énfasis también en las consecuencias sociales de la obesidad y explica problemas tan en boga como la anorexia y la bulimia.

El capítulo 6 describe la influencia del ambiente, subrayando las preferencias en la comida que determinan el tipo de alimentos que consumen los niños, y da sugerencias de cómo se puede intervenir. Incluye también la influencia de la televisión, el internet y los juegos sedentarios.

El capítulo 7 explica aspectos de nutrición importantes para entender lo que comemos y su efecto en el organismo. Incluye una guía de alimentación para disminuir el peso corporal.

El capítulo 8 plantea recomendaciones para los padres que pueden contribuir al manejo de la obesidad, así como recomendaciones también para los maestros.

El último capítulo ofrece a los psicoterapeutas, nutriólogos y otros profesionistas un programa completo para ser aplicado a niños obesos.

En los apéndices se incluye una tabla de alimentos con sus respectivas calorías, además de una guía útil para buscar ayuda profesional.

1 Aspectos generales

La importancia del sobrepeso

La obesidad infantil no siempre ha sido tomada en cuenta con seriedad e incluso en ocasiones se considera como aceptable, pero a medida que pasa el tiempo, su incidencia e importancia están siendo reconocidas por los estudiosos.

En el niño y el adolescente, la obesidad es una seria discapacidad tanto en el desarrollo físico como en el social y psicológico, ya que interfiere con sus actividades, sus intereses y su bienestar emocional.

Físicamente, cuando el niño obeso hace ejercicio, o simplemente al caminar, manifiesta dificultades en la respiración (hiperventilación). En casos severos, puede presentar problemas ortopédicos y hasta problemas en el sueño y somnolencia; todo ello provoca una inactividad secundaria y, por tanto, una discapacidad.

En el aspecto social, los niños obesos corren el riesgo de convertirse en el blanco de burla de sus compañeros, ya que, debido a su gran masa corporal, son torpes y lentos para los juegos y, por lo regular, son pasivos, temerosos e incapaces de defenderse de sus atacantes.

Psicológicamente, no sorprende que los motes o insultos que se les aplican constantemente provoquen sentimientos de angustia y aislamiento o soledad. Se ha comprobado que la obesidad tiende a empeorar con el tiempo y todos los problemas mencionados se intensifican.

Por otro lado, tanto en México como en otras partes del mundo, la obesidad infantil se ha incrementado a tal grado que constituye un problema importante de salud pública e, incluso, es considerada como una epidemia.

En nuestro país, gracias a la segunda Encuesta Nacional de Nutrición llevada a cabo entre 1998 y 1999, se observó que 18.8 % de los niños de cinco a 11 años de edad presentan sobrepeso. Esta cifra se eleva especialmente en los estados del norte de la República y en la Ciudad de México (*Encuesta Nacional de Nutrición*, 1999). Ello es todavía más notable en las poblaciones urbanas, es decir, en las que viven en las grandes ciudades.

Otro estudio que causó impacto fue el informe de la Encuesta Urbana de Alimentación y Nutrición de 2002 (Franco, 2003), realizada a familias de nivel socioeconómico bajo del área metropolitana de la Ciudad de México. En este reporte, la prevalencia de sobrepeso y obesidad en preescolares se observa en la siguiente tabla:

Población	*Porcentaje de obesidad*
Niños menores de cinco años	15.6 ambos sexos
Escolares 5-11 años	34.2 ambos sexos
Adolescentes	23.6 hombres 42.5 mujeres
Adultos	59 ambos sexos

En la evaluación de estudios realizados en otros países, entre ellos Estados Unidos, en la tercera encuesta sobre salud nacional se observó que, al comparar los resultados de la incidencia de obesidad en tres periodos, se encontró que: en los niños de seis a 11 años, la obesidad aumentó de 7.6 % en 1980 a 10.9 % en 1991 y alcanzó 14 % en 1994; mientras que en los adolescentes de 12 a 17 años, hubo un incremento de 5.7 % en 1980 a 10.8 % en 1991 y alcanzó 12 % en 1994. Es decir, en ambos grupos se observó un incremento de 50 % en un lapso de tan sólo 15 años, hallazgo verdaderamente preocupante (Calzada, 1993). Asimismo, se estima que entre 5 y 25 % de los niños y los adolescentes son obesos. En los adultos este fenómeno varía de acuerdo con el grupo étnico, y existen estadísticas que demuestran que de 5 a 7 % de los niños caucásicos y afroamericanos son obesos; estas cifras son mayores en los niños de origen hispano (Lohman, 1987).

Por otro lado, en Gran Bretaña se considera que 30 % de la población infantil presenta sobrepeso, mientras que 10 % de la misma es obesa (Laing, 2002). Pero en los niños canadienses, la prevalencia de obesidad se estima en un rango de 7 a 43 % (Feldman y Beagen, 1994).

Los datos más recientes confirman la existencia de una epidemia de obesidad entre niños y adolescentes en todas las sociedades desarrolladas o en vías de desarrollo, siempre y cuando no haya pobreza extrema, tanto en Norteamérica, América Latina, Asia y Europa. Lo más inquietante es que dichos datos comprueban que 14 % de los niños obesos se convierten en adultos obesos.

Ahora bien, la preocupación por el problema del sobrepeso y la obesidad ha sido de tal magnitud que los gobiernos de algunos países, incluyendo a México, han puesto en marcha campañas para la prevención y el manejo de la obesidad.

Causas del incremento de la obesidad

Las causas se deben a diversos factores:

- El aumento en el consumo de alimentos fabricados con excesivas calorías, como pan, galletas, refrescos, papas fritas, lácteos endulzados y todo tipo de dulces, además de embutidos altos en grasas, como salami, chorizo y salchichas, produce un importante desequilibrio en la alimentación. Dicho aumento se debe a la exagerada exposición de las familias a propaganda de tipo comercial, especialmente a la televisión.

c) La *distribución anatómica del tejido adiposo*, de acuerdo con la *localización* predominante de la acumulación de grasa, se denomina:

- **Visceral, abdominal, andrógena o centrípeta.** Se localiza principalmente en el abdomen y se asocia a un mayor número de complicaciones médicas.
- **Periférica, ginecoide o centrífuga.** Se localiza en la cadera.

d) De acuerdo con las *causas* se divide en:

- **Endógena.** Se relaciona con algún problema de tipo metabólico, como los factores endocrinológicos, genéticos e hipotalámicos, y en algunas ocasiones se debe a ciertos fármacos. Se presenta sólo en 10% de los casos.
- **Exógena (idiopática).** Cuando existe una relación directa entre el exceso de calorías que consume la persona y el gasto energético de la misma. Se presenta en 90% de los casos.

2 Diagnóstico y herencia genética

Métodos de diagnóstico

Antes de explicar los diferentes métodos de diagnóstico de la obesidad es necesario definir algunos conceptos esenciales.

El **peso corporal** es una medida de volumen determinada por los diferentes componentes del organismo, que incluyen agua, músculos, huesos y grasa, es decir, por la composición molecular del organismo, cuyos principales componentes son agua, grasa, proteínas y minerales.

Además, el peso corporal se puede dividir en masa grasa y masa libre de grasa. La **masa grasa** se refiere a la suma de todas las grasas (lípidos) del cuerpo, mientras que la **masa carente de grasa** incluye el agua, los músculos y los huesos. El peso corporal es la suma de ambas y cualquier cambio en una dará como resultado el cambio de peso. Por ello, para determinar el grado de obesidad o de sobrepeso del niño o adolescente, se debe tomar en cuenta la estructura ósea, además del nivel de grasa.

Es necesario considerar el nivel de desarrollo físico del niño (la edad), el sexo, la estatura y el tamaño de sus huesos, ya que, por ejemplo, el niño adolescente que practica algún deporte desarrolla sus músculos y, por tanto, su peso corporal aumenta, pero no la grasa de su organismo.

Existen diferentes métodos para evaluar la obesidad, uno de los cuales utiliza la Secretaría de Salud Pública en México, denominado Índice Nutricional.

El **Índice Nutricional** se basa en la comparación de la relación simple entre el peso y la estatura del sujeto en relación con el peso y la estatura correspondiente al percentil 50 o media, considerando el sexo y la edad. Esta medida es utilizada por los médicos o nutriólogos (Gómez y Ávila, 1998).

Otro método comúnmente utilizado es el **Índice de Masa Corporal (IMC)**, el cual se obtiene mediante la fórmula (Beil, 2001):

$$IMC = \frac{\text{Peso (kg)}}{\text{Estatura (m)}^2}$$

donde el índice de masa corporal normal no debe exceder de 25. Por ejemplo, el peso adecuado para una adolescente que mide 1.55 m es de 52 kg, y para un adolescente que mide 1.67 m es de 63.56 kg.

El sobrepeso se encuentra entre 25 y 29.9. Por ejemplo, el que una adolescente mida 1.55 m y pese 63.5 kg hace que presente sobrepeso, al igual que un adolescente que mide 1.67 m y pesa 82 kg.

Se considera obesidad si el IMC se eleva a 30. Hay tres niveles de obesidad:

- Nivel 1 (ligera): *IMC* = 30-34.9.
- Nivel 2 (moderada): *IMC* = 35-39.9.
- Nivel 3 (extrema): *IMC* = 40 o más.

Por ejemplo, un adolescente que mide 1.67 m y pesa 86 kg presenta obesidad ligera, pero si pesara 104 kg, su obesidad sería moderada, y si pesara 113.5 kg, sería extrema. En cambio, si una adolescente mide 1.55 m y pesa 73 kg, su obesidad es ligera, pero si pesara 86 kg, sería moderada, y si pesara 100 kg, sería extrema (Burani y Rao, 2003).

En las tablas 2.1 y 2.2 se presentan los pesos medios de los niños, aunque es importante mencionar que dichos cálculos deben tomarse con mesura, ya que cada niño crece a un ritmo distinto (García, 2000).

Tabla 2.1. Niñas.

Edad	*Altura* (cm)	*Peso de referencia* (kg)	*Peso normal* (kg)
1	75 ± 6	9.3	7.4-11.2
2	87 ± 7	12.2	8.8-14.6

Edad	*Altura* (cm)	*Peso de referencia* (kg)	*Peso normal* (kg)
3	96 ± 7	14.5	11.6-17.4
4	103 ± 8	16.6	13.3-19.9
5	111 ± 9	19.0	15.2-22.8
6	117 ± 9	21.0	16.8-25.2
7	122 ± 9	23.3	18.6-28.0
8	129 ± 10	26.8	21.4-32.2
9	135 ± 10	29.8	23.8-35.8
10	142 ± 11	34.5	27.6-41.4
11	148 ± 12	38.8	31.0-46.6
12	154 ± 14	43.7	35.0–52.4
13	158 ± 13	46.3	37.0–55.6
14	165 ± 11	54.3	43.4–65.2

Tabla 2.2. Niños.

Edad	*Altura* (cm)	*Peso de referencia* (kg)	*Peso normal* (kg)
1	77 ± 6	10.3	8.2-12.4
2	89 ± 6	12.8	10.2-15.4
3	97 ± 7	14.9	11.9-17.9
4	104 ± 8	16.8	13.4-20.2
5	111 ± 8	19.1	15.3-22.9
6	117 ± 9	21.1	17.0-25.4
7	124 ± 10	24.0	19.2-28.8

Tabla 2.2. Niños. (*Continuación.*)

Edad	*Altura* (cm)	*Peso de referencia* (kg)	*Peso normal* (kg)
8	130 ± 10	26.9	21.5-32.3
9	135 ± 11	29.6	23.7-35.5
10	141 ± 12	33.5	26.8-40.2
11	147 ± 13	37.1	29.7-44.5
12	156 ± 14	45.1	36.1-54.4
13	161 ± 16	50.5	40.4-60.6
14	168 ± 17	59.3	47.4-71.2

Otro método que puede utilizarse es la **medición del pliegue tricipital**, que es adecuada para indicar obesidad y que consiste en una medida del grosor del anillo de grasa subcutánea del brazo. Para realizar esta medición se utiliza un instrumento denominado **calibrador** o **plicómetro** (Burani y Rao, 2003).

Con éste, el médico obtiene datos específicos sobre el grado de obesidad del niño o adolescente.

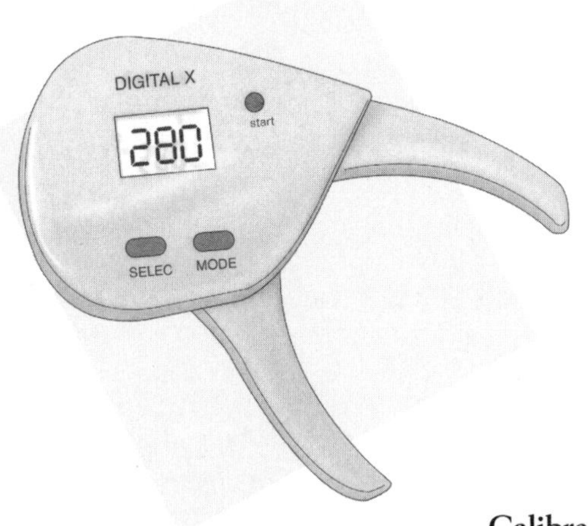

Calibrador o plicómetro

Aspectos genéticos y hereditarios

Las investigaciones recientes han mostrado que la obesidad puede ser trasmitida de padres a hijos y así sucesivamente, puesto que se ha descubierto el gen que produce la obesidad.

Los estudios genéticos muestran evidencias acerca de la existencia de factores hereditarios en la obesidad, y está comprobado que 80% de los hijos de dos progenitores obesos, también presentan una alta tendencia a ser obesos comparado con una frecuencia relativamente baja en los hijos de progenitores con peso normal (Campollo, 1995).

En un estudio de la Clínica Mayo (Estados Unidos) se encontró que, genéticamente, en el caso de que uno de los progenitores sea obeso, la probabilidad de presentar sobrepeso en sus hijos es de 25 a 30%, puesto que los genes pueden afectar la cantidad de grasa que almacena el cuerpo, así como el lugar donde esta grasa se deposita (García, 2000).

En estudios con gemelos idénticos se ha encontrado una alta correlación en el grado de obesidad entre ambos. En estudios de familias con niños adoptados se ha encontrado una relación mayor entre el peso de los hijos biológicos y sus padres que entre el peso de los niños adoptados y sus padres adoptivos (Campollo, 1995).

También se ha asociado la obesidad infantil de tipo genético con estatura baja, rasgos anormales y deficiencia mental, a diferencia de los niños obesos de estatura alta, en quienes la obesidad no es de tipo genético (González, 2002).

De igual forma, otras teorías han comprobado la trasmisión de la obesidad a través de los genes. Una de éstas es la teoría del *Set-Point* (Punto Clave de Establecimiento del Peso Corporal), que explica que el peso está regulado íntimamente por una interacción compleja de factores neurológicos, hormonales y metabólicos (Szydlo y Woolston, 2004).

Se ha observado que el equilibrio entre los factores genéticos y el consumo de alimentos determina el peso corporal. Cada persona tiene un **punto clave** (*set-point*) en el cual se establece su peso corporal, que puede ser alto o bajo, y dicho punto se encuentra determinado hereditariamente.

Ahora bien, otro factor también puede influir en el incremento del punto clave y este factor es la **nutrición**, ya que la **sobrealimentación** puede *restablecer* el punto clave del niño, llevándolo a un nivel más alto.

Asimismo, dicha sobrealimentación puede desencadenar la creación de nuevos tejidos adiposos (células grasas), que son muy difíciles de eliminar. Por tanto, el niño o el adolescente con un equilibrio de energía crónico positivo (punto clave demasiado alto) continuará subiendo de peso durante toda su vida y tendrá mayores dificultades tanto para bajar de peso como para mantenerse en él. Dicha secuencia determina la obesidad crónica.

En otras palabras, por herencia, si un niño es hijo y nieto de personas obesas, tendrá una predisposición genética a ser obeso, y su punto clave será elevado. No obstante, si a esto le sumamos la sobrealimentación, su punto clave se incrementará aún más, determinando la obesidad durante el resto de su vida, a menos de que se le alimente en forma apropiada, de manera que el punto clave se establezca sólo por factores hereditarios y no por factores ambientales, lo cual le ayudará a mantener un peso más adecuado.

Por los hechos mencionados, en cuanto a la probabilidad de la obesidad hereditaria, algunos autores recomiendan un estudio de los hijos recién nacidos de padres obesos, para determinar el consumo de energía requerido como una forma de poder controlar la obesidad a la que están propensos estos infantes (Calzada, 1993).

Debemos notar que, después de los 18 meses, la guardería o el médico deben prestar más atención a la talla y el peso en percentiles de aquellos niños que sobrepasan el percentil 65 (véanse tablas 2.1 y 2.2).

Además de los factores hereditarios, existen otros factores de tipo ambiental que influyen aún más en la obesidad, los cuales se describirán en el capítulo 6.

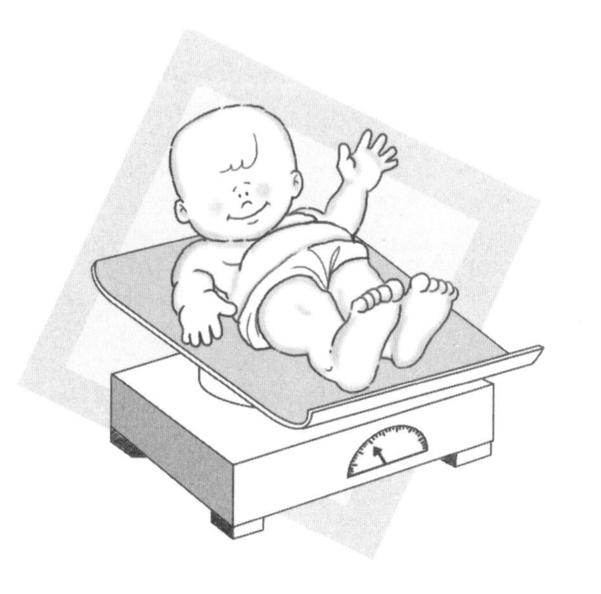

Repercusiones de la obesidad en la salud

COMPLICACIONES MÉDICAS

Las complicaciones médicas de la obesidad en niños y adolescentes pueden dividirse en inmediatas, intermedias y tardías, de acuerdo con el periodo en el que se inician y la aparición de las manifestaciones (Calzada, 1993).

El cuadro 3.1 muestra las **consecuencias inmediatas**, según el porcentaje de obesidad.

Entre las **consecuencias intermedias**, dentro de un lapso de dos a cuatro años posterior al inicio de la obesidad, se puede observar la presencia de factores de riesgo relacionados con enfermedades cardiovasculares, como:

- Hipertensión arterial.
- Hipercolesterolemia total.
- Colesterol de baja densidad (LDL).
- Colesterol de alta densidad (HDL).
- Triglicéridos altos.

Por último, entre las **consecuencias tardías**, cuando la obesidad persiste durante la vida adulta, generalmente se agrega la mayor incidencia de enfermedades, como las del cuadro 3.2.

Cuadro 3.1. Consecuencias inmediatas.

Porcentaje de obesidad corporal		
15	*20*	*35*
Presentan alteraciones ortopédicas en: columna, rodillas, pies y caderas. 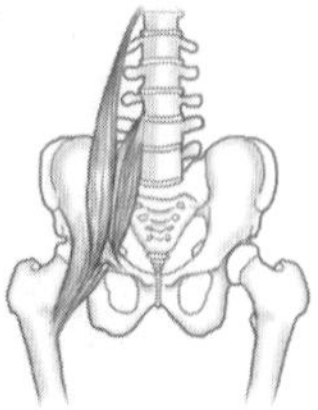	Presentan cambios funcionales: neurológicos, pulmonares, gastrointestinales y endocrinos. 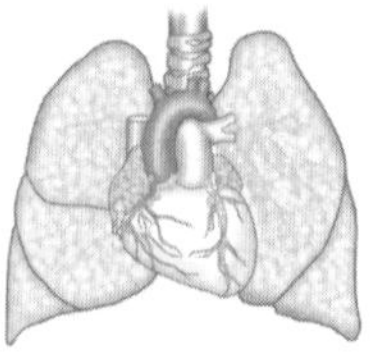	Presentan: • Resistencia a la insulina • Incremento de andrógenos • Aumento de colesterol total • Aumento de colesterol de lipoproteínas de baja densidad y triglicéridos • Alteraciones menstruales • Diabetes mellitus tipo 2

Cuadro 3.2. Consecuencias tardías.

Ambos sexos	*Varones*	*Mujeres*
• Hipertensión arterial • Enfermedad renal • Enfermedad cardiovascular • Ateroesclerosis. 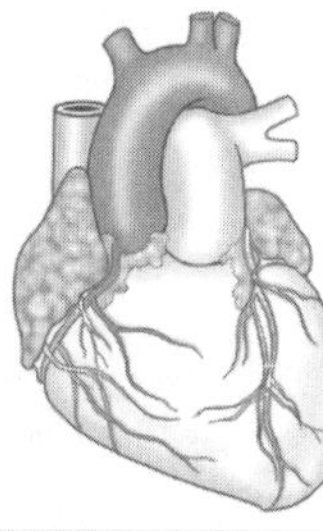	• Cáncer de colon • Gota. 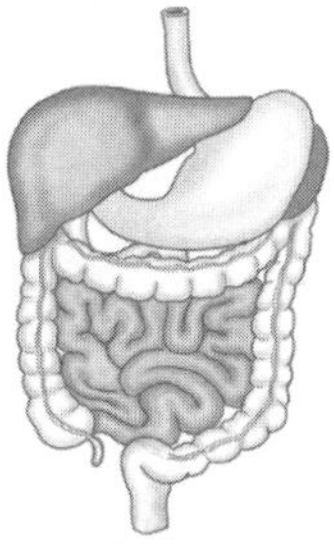	• Artritis • Hipertensión durante el embarazo • Fracturas de cadera. 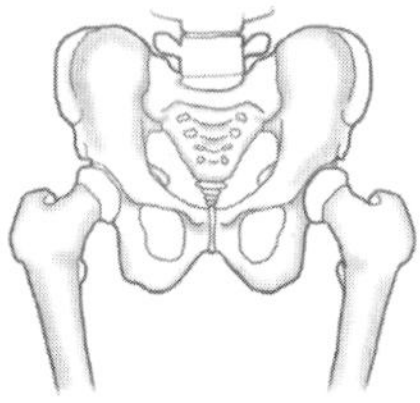

CONSECUENCIAS MÉDICAS COMUNES

Crecimiento: aceleración en la maduración biológica

Los niños con sobrepeso tienden a tener una estatura mayor, por un avance en el crecimiento de los huesos, y maduran sexualmente más rápido en comparación con los niños que no presentan sobrepeso (Dietz, 1998).

Por el contrario, otros estudios longitudinales en niños obesos han mostrado que en la adolescencia permanecen en percentiles bajos de estatura, después de haber ganado peso en exceso.

La maduración temprana, determinada por la edad de los huesos, el acné, el aumento de la estatura, la edad del inicio de la menstruación y el cambio en la distribución de la grasa en el tronco de la mujer están asociados con el incremento de la obesidad en la vida adulta, lo cual ocurre tanto en hombres como en mujeres. Esto representa un determinante biológico adicional a la obesidad, relacionado con la pubertad.

Se ha sugerido también que la regularización de la menstruación depende de la cantidad de grasa acumulada en el cuerpo; esto es, un nivel medio de grasa en el cuerpo es necesario tanto para el establecimiento como para el mantenimiento de la menstruación, y ello da pie a una explicación interesante respecto de la regulación de la menstruación en mujeres con anorexia, antes y después del tratamiento. Así, cuando una adolescente (púber) comienza a menstruar, su periodo menstrual va a estar regulado por la cantidad de grasa en su organismo, y si se encuentra fuera de su peso ideal, es muy probable que tenga complicaciones, como retraso de la menarca.

En otros estudios, la maduración temprana fue asociada con el incremento en la obesidad, lo cual sugiere que los individuos que maduran a temprana edad ya eran obesos en el momento en que comenzó su maduración. Por último, la maduración temprana puede aumentar los problemas en los hábitos de alimentación.

Complicaciones ortopédicas

Una gran variedad de complicaciones ortopédicas se presenta en los niños y adolescentes obesos debido a la falta de resistencia tanto de los huesos como de los cartílagos. Se pueden mencionar por ello muchas complicaciones, como problemas de columna, rodillas, pies y cadera.

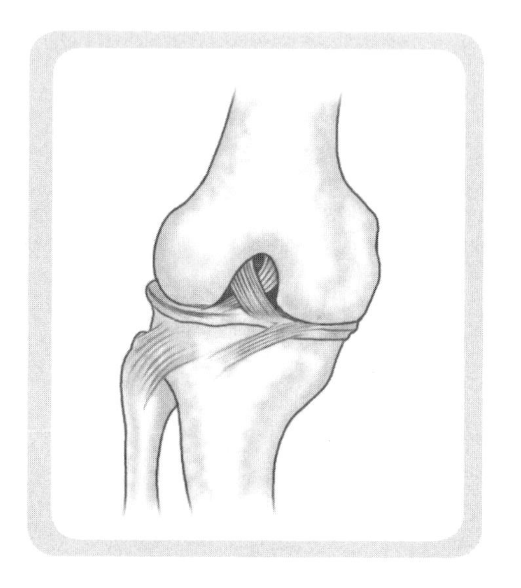

Síndrome de resistencia a la insulina y su efecto en la obesidad

El exceso de peso tiene como efecto secundario el impedir que la habilidad de la hormona insulina procese adecuadamente grasas y azúcares, a lo cual se le conoce como **resistencia a la insulina**. Como resultado, el cuerpo almacena más grasa de lo que debiera. En general, el cuerpo almacena grasa como una forma de sobrevivir al hambre; sin embargo, el resultado es que por lo común almacenamos grasa, pero nunca requerimos que nuestro cuerpo la queme.

Este exceso de peso proviene de los carbohidratos que comemos, sobre todo de aquellos alimentos altamente procesados, como los alimentos horneados: panes, bocadillos y papas, y los alimentos preparados con azúcar, que son los llamados "carbohidratos malos", ya que no contienen fibra (Agatston, 2003).

El reducir el consumo de los carbohidratos malos disminuye la resistencia a la insulina y, por tanto, el peso disminuye y el cuerpo comienza a metabolizar adecuadamente los carbohidratos ingeridos. Incluso, el antojo de carbohidratos malos desaparece una vez que se ha bajado el consumo de éstos. Finalmente, el eliminar los carbohidratos procesados mejora la química sanguínea, lo que da como resultado la disminución de los triglicéridos y el colesterol.

Hiperlipidemia

En la sangre de los niños y adolescentes obesos se da un incremento de los lípidos (grasas). El patrón característico consiste en una sobreproducción de niveles de colesterol con lipoproteínas de baja densidad (colesterol LDL) y triglicéridos, además de una disminución en los niveles de colesterol con lipoproteínas de alta densidad (colesterol HDL).

El bajar de peso tiene un efecto benéfico en relación con los riesgos cardiovasculares y tendrá un efecto mayor en las niñas con obesidad abdominal (Dietz, 1998).

Consecuencias médicas no tan comunes

Hipertensión

La hipertensión ocurre con baja frecuencia en los niños. De hecho, en un estudio realizado en Estados Unidos, sólo 1 % de una población de 6600 estudiantes de cinco a 18 años presentó presión alta. A pesar de ello, casi 60% de los niños con presión alta presentaron un peso mayor al estándar de acuerdo con su sexo, estatura y edad. De esto se deduce que la presión alta se presenta nueve veces más en niños con obesidad que en niños con peso normal.

Ahora bien, la hipertensión parece ser una consecuencia de la hiperinsulinemia. La hiperinsulinemia produce un considerable decremento de la retención renal de sodio, tanto en niños no obesos como en obesos, por lo que un régimen alimenticio adecuado, acompañado de un programa de ejercicios, producirá un decremento en la presión sanguínea (Dietz, 1998).

Ovarios poliquísticos (mujeres adolescentes)

Entre las mujeres adultas que se consideran normales y que no han solicitado tratamiento, ya sea por infertilidad, hirsutismo (vello excesivo) o por irregularidades en su menstruación, 14% han tenido ovarios poliquísticos. Asimismo, más de 30% de las mujeres que los padecen son o pueden ser obesas (Dietz, 1998), lo cual indica que el hecho de padecer obesidad también puede afectar el funcionamiento del aparato reproductor de la mujer.

Las anormalidades en la menstruación pueden comenzar en la adolescencia.

Asimismo, hay una relación entre obesidad y *acantosis nigrans* (que es la pigmentación excesiva aterciopelada en los pliegues del cuello, ombligo e ingle); también se pueden presentar resistencia a la insulina e hiperandrogenia en pacientes adolescentes.

Apnea del sueño

La **apnea**, que es la supresión momentánea de la respiración durante el sueño, es otra consecuencia de la obesidad infantil. Aunque la prevalencia de dicha enfermedad es muy baja, ya que se presenta en menos de 7% de los niños obesos, se estima que la tercera parte de los niños con un sobrepeso en 150% mayor a lo establecido presenta dificultades en la respiración durante el sueño. Sin embargo, ni el grado de obesidad ni la historia de problemas en la respiración durante el sueño pueden predecir la severidad de la obstrucción del aire en las vías respiratorias. Asimismo, son comunes los déficits neurocognitivos, que afectan la capacidad de aprendizaje en los niños obesos que presentan apnea (Dietz, 1998).

4 Repercusiones psicológicas y sociales de la obesidad en el niño

Introducción

Entre las consecuencias más negativas de la obesidad infantil se encuentran las psicosociales. Los niños obesos son rechazados y se convierten fácilmente en objeto de discriminación. En la medida en que el niño madura, los efectos de la discriminación se van agravando, ya que hay una influencia cultural muy marcada, y la sociedad establece un patrón estricto de aceptación dentro de ella. Esta discriminación y la preocupación social sobre la delgadez u obesidad se expresan desde edades muy tempranas. Tales preocupaciones forman parte de la cultura y se observan con mayor frecuencia entre las bailarinas y las gimnastas, a causa de las exigencias físicas de esas actividades.

Muchos estudios muestran que, a temprana edad, los niños rechazan a los niños obesos y prefieren a los delgados. Algunos estudios relacionados con las preferencias han demostrado que los niños entre 10 y 11 años prefieren la amistad de los niños discapacitados a la de los niños con sobrepeso, siendo éstos los últimos en ser seleccionados como "amigos". Aún más, los niños entre seis y 10 años asocian la obesidad con diversas características negativas, como la pereza y el desaliño o descuido (Richardson *et al.*, 1961).

Por otro lado, los niños con sobrepeso tienden a tener amigos de menor edad, porque éstos son menos discriminantes y, por lo mismo, tienen menos prejuicios hacia la obesidad en comparación con los niños de su misma edad. Además, los niños pequeños se encuentran más deseosos por jugar con los niños obesos, pero no por su físico, sino porque generalmente son mayores que ellos (MFMER, 2001).

Por otro lado, varios estudios suecos han demostrado que también hay una asociación entre el descuido de los padres y la obesidad, cuando los padres no reaccionan ante el incremento de peso de su hijo, ni lo ayudan a cambiar sus hábitos alimenticios (Lissau y Sorenson, 1994).

Psicodinamia de la obesidad

Los teóricos del psicoanálisis plantean que la obesidad es un tipo de conducta, producto de privación alimenticia o emocional en la infancia y fijación excesiva en aspectos orales. Existen fijaciones en etapas del desarrollo que explican el comer compulsivamente como una búsqueda de gratificación oral ante la frustración (Kolb, 1988).

Asimismo, algo que se presenta a menudo en la infancia es la sobrealimentación compensatoria, en la cual la madre compensa su ansiedad por el bienestar del infante, alimentándolo excesivamente, hecho que repercutirá en el aumento de peso del niño (Rubio, 1994).

Los padres enseñan a través del ejemplo los hábitos alimenticios que el niño hará suyos en el futuro; por ejemplo, cuando llega la madre con el pediatra y le comenta que el niño no quiere comer verduras, y cuando se le pregunta acerca de sus propios hábitos, encontramos que ella tampoco lo hace. Si la madre tiende a comer alimentos bajos en proteínas y altos en grasas y carbohidratos, ese será el menú diario que seleccionará para su familia y así producirá sobrepeso en el niño (véase cap. 6).

Por otro lado, la teoría psicoanalítica afirma que el desarrollo infantil atraviesa por diversas etapas. En la primera etapa, que denomina oral, el niño obtiene sus satisfacciones y gratificaciones a través de la boca, explora y conoce el mundo a través de la misma. Si esta etapa se prolonga demasiado por las excesivas satisfacciones que la madre produce en el niño, como darle de comer constantemente para evitar que llore, y si no se tiene un horario adecuado para alimentarlo o se le alimenta con frecuencia, dicha etapa se prolongará por mucho más tiempo del adecuado y la comida será lo más importante en su relación con la madre y con el ambiente. Esta situación producirá fijaciones que no le permitirán pasar en forma adecuada a las siguientes etapas del desarrollo (etapas subsecuentes: anal, fálica, latencia y genital). Tampoco podrá pasar a las etapas posteriores a la oral, cuando haya frustraciones excesivas en esta última, ya sea por falta de satisfacciones, por enfermedades largas que le impidan comer bien o por deprivación alimenticia.

Igualmente, si las etapas siguientes resultan demasiado frustrantes para el niño, éste tenderá a regresar a la etapa oral que fue la única satisfactoria, y la comida se volverá un elemento importante.

A su vez, la madre o las personas sustitutas pueden impulsar la sobrealimentación a través del sometimiento de los niños, que más adelante rechazan cualquier otro tipo de satisfacción. Es decir, la manera en la que el niño haya introyectado las enseñanzas de la madre respecto de la comida será el modo en que se alimente por el resto de su vida, ya que siempre llevará dentro de sí la imagen de esta madre; y si ésta fue muy rígida, exigente e insistente con él: "Debes comerte todo", "Los niños pobres no tienen comida y tú no puedes desperdiciarla", o "No te puedes levantar de la mesa hasta que no te termines todo", provocará que para satisfacer esas demandas el niño, y posteriormente el adulto, coma en abundancia.

Ante todo, debemos puntualizar que el papel que desempeña la madre en cuanto a la satisfacción que brinda a través de la alimentación debe implicar calidez, protección y placer, ya que de ello dependerá el desarrollo psíquico, emocional y fisiológico que el niño presente (Rubio, 1994).

Otros aspectos psicológicos que determinan la obesidad

Los hijos de padres obesos tienden a convertirse en niños obesos, dado que se identifican con ellos y además a que viven en un hogar donde a la comida alta en calorías se le da un valor muy especial. En un principio, estos niños se relacionan un poco mejor y parecen sentirse bien con su obesidad, pero a medida que crecen, terminan sufriendo el rechazo de los demás.

Por otro lado, cuando hay una carencia de satisfactores físicos, emocionales o sociales, el crecimiento y el desarrollo del niño se ven afectados, puesto que el ser privado en cualquiera de esas áreas puede conducirlo a la obesidad (Kornhaber y Kornhaber, 1980).

Privación física

Algunas familias de nivel socioeconómico bajo, a pesar de su falta de recursos, crían niños obesos, alimentándolos de manera poco sana con alimentos "chatarra"[1] y refrescos; además, aceptan el sobrepeso como una indicación de buena salud. Estos niños rara vez llegan a tratamiento.

[1] En México, el término *alimentos chatarra* se refiere a la comida con un bajo valor nutricional y un alto valor calórico, como los dulces y las golosinas industrializadas. En México se cuenta con una industria poderosa de esa clase de alimentos, tanto autóctonos como extranjeros, que monopolizan los anuncios comerciales, especialmente en televisión.

Privación emocional

Un ambiente familiar poco cálido, poco gratificante o violento da como resultado un niño defensivo y ansioso. La obesidad es utilizada como un "relleno", es decir, como una forma de compensar las carencias que se tienen, así como también como una defensa en contra de un ambiente hostil. Esta causa de obesidad puede encontrarse en todos los niveles socioeconómicos. Estos niños son reacios al tratamiento; el sobrepeso les es poco importante y difícilmente pueden ser motivados al tratamiento, y si lo hacen, por lo general tienen muchas dificultades para llevarlo a cabo.

Privación social

El niño que se encuentra privado socialmente, puede recurrir a la alimentación en exceso como una solución a su inherente confusión. La privación social puede ir desde el rechazo en el hogar hasta el rechazo y la burla en la escuela (Kornhaber y Kornhaber, 1980).

Imagen corporal dañada

El concepto de **imagen corporal** fue introducido por Schilder (1935) y se refiere a la forma en que es percibido el propio cuerpo (Kornhaber y Kornhaber, 1980).

La imagen que tiene uno de sí mismo y de sus partes corporales varía en las diferentes edades y niveles de desarrollo. Al principio, el bebé ve y toca su cuerpo al azar, pero posteriormente lo hará con alguna intención. A las tres semanas de edad, introduce su dedo pulgar en la boca, dándose cuenta de que es parte de su cuerpo. Entre los tres y los seis meses de edad, reconocerá la diferencia entre las sensaciones externas y las internas y más adelante desarrollará patrones cognitivos que le ayudarán a reconocer a su madre, a través de sus expresiones faciales y las asociaciones que hace de ella por los cuidados que le brinda. Mientras tanto, también desarrollará el concepto de *permanencia*, es decir, "los objetos no dejan de existir a pesar de su aparente desaparición", y juegos como el "Cu-cu" regocijarán al niño. Entre los ocho y nueve meses, el niño reconocerá su imagen en un espejo y la recordará; esta será la primera vez en que se percate de su existencia como ser único y diferente.

Entre los dos y los tres años, la imagen de su cuerpo se encuentra más definida. A los tres años, podrá mencionar algunas partes de su cuerpo, como ojos, nariz, boca, cabellos, manos, pies, etc. A los cuatro años, podrá dibujar su cuerpo como un círculo que contiene ojos, nariz, boca y manos, aunque todavía no reconocerá las partes internas del cuerpo. A la edad de cinco y seis años, incluirá mayores detalles en sus dibujos, como cejas, orejas e incluso ropa. Por último, debido a su desarrollo cognitivo, el niño reconocerá las funciones internas de su organismo, como el funcionamiento de su estómago, su corazón, etcétera (Lewis, 2004).

Poco a poco, el niño desarrollará su imagen corporal y, para ello, serán de gran importancia las observaciones que los padres hagan a sus hijos; por ejemplo: "¡Qué bien te ves hoy!", "Me gusta la forma en que te arreglaste", "Esa combinación de pantalón y camisa se te ve muy bien, van con tu color de piel", "Veo que estás creciendo, tu cuerpo está cambiando, ya te ves como todo un hombrecito". Todo esto provoca que el niño se sienta a gusto con su cuerpo y se acepte tal como es, independientemente del volumen de su cuerpo. Por consiguiente, es muy importante que los padres refuercen dicha estimación a través de ese tipo de comentarios, ya que de lo contrario provocarán una gran insatisfacción en sus hijos, los cuales se desarrollarán sintiéndose poco aceptados tanto por sus padres y familia como por sí mismos.

En la obesidad infantil, la imagen corporal se encuentra dañada precisamente por las apreciaciones que los padres y la familia hacen del niño, cuando se le critica por su "cuerpo deforme", haciendo énfasis con quejas como: "¡Ay, eso no se te ve bien, porque estás gordo!", "Si fueras delgado, te verías mucho mejor", "Mira nada más, ya no te queda esta ropa por tu gordura, habrá que comprarte una más grande",

"Mira cómo estás, pareces un globito con patas". Todas estas aseveraciones darán lugar a un pobre autoconcepto y una autoestima baja, que obviamente dañarán su imagen corporal, lo cual permanecerá tanto en la adolescencia como en la edad adulta.

Por último, en los casos más extremos, durante la adolescencia, la mala imagen corporal dará lugar a la iniciación de trastornos de alimentación más severos, como la bulimia y la anorexia.

Imagen que tiene de sí misma una adolescente anoréxica ante un espejo; es decir, se ve obesa a pesar de estar delgada.

Autoestima

La autoestima es una evaluación más o menos estable que el individuo hace de sí mismo, la cual expresa una actitud de aprobación o desaprobación e indica el grado en que el individuo se cree capaz, significativo, exitoso y valioso (Lewis, 2004).

La mayoría de los autores concuerdan en que los niños obesos presentan una baja autoestima. Dentro de las manifestaciones más comunes de ésta podemos encontrar:

- Sentimientos de ser incompetente e inadecuado.
- Pasividad.
- Apatía.
- Sensibilidad excesiva ante las críticas de los demás.
- Aislamiento y desconfianza en las relaciones interpersonales.
- Tendencia a la ansiedad, depresión y destructividad.

Estos niños también tienen una baja motivación al logro, se sienten incapaces de lograr las cosas que se proponen y se sienten poco valorados por los demás (Bruch, 1980).

Por otro lado, se considera que un niño con baja autoestima siempre busca ser aceptado por los demás. Es un niño con necesidades afectivas, dudoso de su valor y de su capacidad, y dicha sensación persistirá hasta la edad adulta.

Además de la familia, la escuela cumple un papel importante en el desarrollo de la autoestima del niño, ya que puede ayudar o, por el contrario, dañar aún más su autoestima.

Retraimiento y aislamiento

A causa de la limitada aceptación social del niño obeso, éste se percibe distinto de los demás y se siente ajeno a su grupo de edad, por lo que presenta dificultades para socializar adecuadamente con sus compañeros de clase y en general con la gente y el mundo que lo rodea, lo cual ocasiona retraimiento y aislamiento.

El niño obeso no querrá ir a las fiestas de sus compañeros de clase, ni tampoco a practicar algún deporte de grupo. De igual forma, se negará a aceptar actividades fuera de casa, como ir a un campamento escolar o de algún grupo social, puesto que su inseguridad lo llevará a refugiarse dentro del contexto familiar; es muy dependiente de éste, ya que ahí es el único lugar donde se siente seguro.

Un ejemplo es "Pedro", un niño de 10 años de edad que fue enviado a psicoterapia porque sus padres habían notado dificultades para relacionarse con los compañeros del colegio. Pedro siempre regresaba de mal humor, y aunque era un niño que sobresalía por sus conocimientos, no podía establecer relaciones de amistad. Además, curiosamente, los días dedicados al deporte en la escuela siempre se "enfermaba" presentando dolores abdominales, de cabeza, o simplemente malestar inespecífico, y se negaba a ir, ya que regularmente era motivo de burlas a causa de su falta de capacidad para el juego, pues la obesidad le había producido problemas ortopédicos, los cuales lo incapacitaban para correr y moverse con facilidad.

Depresión

La depresión también es un síntoma que puede acompañar a la obesidad. La depresión es un sentimiento patológico de tristeza que se caracteriza por pérdida de energía e interés, sentimientos de culpa, dificultad para concentrarse, pérdida o aumento de apetito, pensamientos de muerte o suicidio y cambios en el nivel de actividad, así como en las funciones cognoscitivas, de lenguaje y en el sueño. Todo esto influye en el funcionamiento escolar y social del niño (Ajuriaguerra, 1987).

En los niños, el proceso de depresión puede representarse de tres formas:

a) En su **expresión verbal,** el niño expresa sentimientos de desesperanza; físicamente se siente poco atractivo, devaluado, y piensa que nadie lo puede ayudar, ni lo quiere ni lo aprecia.

b) En su **estado de ánimo** y en su **conducta,** denota tristeza y llanto, y presenta problemas en el sueño; en cuanto al apetito, éste puede disminuir o incrementarse. Además, hay una pérdida de interés generalizada y disminución en las actividades tanto sociales como académicas.

c) En la **fantasía,** la depresión puede verse a través del juego, en el que los temas recurrentes son: el maltrato, el estar herido o ser criticado, la pérdida y el abandono, la muerte o el suicidio (Steinhauer y Rae-Grant, 1983).

Sentimientos de culpa

Dado que el niño obeso sabe que debe comer menos y cambiar su dieta para acercarse a su imagen ideal, lo cual le es imposible de lograr, llega a desarrollar sentimientos de culpa y de vergüenza por su incapacidad de hacer frente a las tentaciones de la comida. Los obesos se avergüenzan de sentirse débiles para poder rechazar lo que no deben comer, y también culpables de no poder luchar contra su falta de fuerza de voluntad y la sensación de nunca llegar a la meta propuesta. Todo ello produce un sentimiento de frustración constante (Beil, 2001).

Los sentimientos de culpa están relacionados con los padres, ya que son ellos los que establecen las limitaciones en la comida, y su comportamiento equivale a una conducta de desobediencia. Los sentimientos negativos producidos provocan ansiedad en el niño, la cual lo motiva a comer más como una forma de manejar su ansiedad, creando un círculo vicioso difícil de romper.

El aspecto social de la obesidad en el niño

En una investigación se observó que, a partir de los siete años, los niños identifican la silueta de sobrepeso en un dibujo como menos atractiva que la silueta delgada, añadiendo que estos niños tienen menos amigos y son menos inteligentes en comparación con sus compañeros delgados.

Incluso antes de la pubertad, alrededor de los nueve años, hay niñas que ya se sienten muy insatisfechas con su cuerpo y desean ser más delgadas, por lo que se someten a dietas para controlar su alimentación (García, 2000).

Otro de los problemas que se suscitan cuando el niño es obeso tiene que ver con la vestimenta, ya que generalmente las tallas están diseñadas para niños de complexión normal, por lo que el ir de compras por ropa, en lugar de ser una actividad placentera, termina siendo algo desagradable e inquietante. Además, socialmente tampoco será aceptado dentro de su ambiente si no viste igual que sus congéneres. Así, tendrá que lidiar con dos problemas: la insatisfacción con su propio cuerpo, y la inseguridad que le provoca la falta de aceptación por parte de su medio al no poder identificarse a través de la vestimenta.

Por lo regular, los niños con sobrepeso son más altos que sus compañeros (véase cap. 3). Los adultos que no saben la edad de estos niños los confunden creyendo que tienen mayor edad y, por lo mismo, los tratan como tales. Las expectativas que se tienen de estos niños son mayores, de modo que surgen sentimientos de fracaso cuando no las pueden llenar. Asimismo, una consecuencia latente es que el niño obeso se siente inadecuado como respuesta a las expectativas inapropiadas de los adultos fuera del núcleo familiar; esto puede propiciar que el niño sea menos aventurado para buscar las relaciones que establece fuera de casa, e incrementar de esta manera la dependencia hacia la familia y el aislamiento de la sociedad (Dietz, 1998).

Actitud y preocupación por el peso corporal

Los valores sociales "modernos" sugieren que la feminidad está asociada con el atractivo físico y en especial con la esbeltez, lo cual da pie a que las niñas púberes se sometan a dietas alimenticias innecesarias.

La preocupación por el peso se da sobre todo en las niñas desde edades muy tempranas, y puede afectar la forma en que regulan la cantidad de comida que ingieren. Como es de esperar, las niñas presentan mayor preocupación por su peso en comparación con los niños, y dicha preocupación aumenta con la edad.

Por ejemplo, un estudio entre niñas de siete a 13 años demostró que al menos la mitad de éstas estaba preocupada por su peso; asimismo, más de un tercio había intentado bajar de peso, mientras que una décima parte de ellas manifestaban respuestas acordes con la sintomatología de la anorexia nerviosa.

Por otro lado, en algunos estudios realizados en diferentes etnias de Estados Unidos, se encontró que la preocupación hacia el peso ha cambiado, ya que a pesar de que las mujeres afroamericanas obesas se preocupaban menos por las consecuencias sociales de su obesidad, un mayor número de ellas, en comparación con las adolescentes caucásicas, hacen dietas en forma recurrente (Dietz, 1998).

En México, respecto de la preocupación por el peso corporal se encontró que las niñas entre seis a 12 años de edad de escuelas privadas se mostraban más interesadas en dicho rubro en comparación con las niñas de escuelas públicas y de todos los niños en general (García, 2000). Dichas niñas respondieron positivamente a frases como:

- Me la paso pensando en comida.
- Me disgusta sentir el estómago lleno.
- Me gusta sentir hambre.
- Me preocupa mi peso.
- He tenido miedo de comer porque pienso que puedo ponerme gorda.

Asimismo, en dicho estudio se pudo observar que a la edad de ocho años ya se aprecia una clara actitud negativa y "ofensiva" hacia la obesidad en ambos sexos; es decir, para ellos todos los niños gordos son feos. La mitad de las niñas consideran que lo delgado se asocia con lo bonito (ser guapa, atractiva), mientras que más de la mitad de los niños asocian el concepto de "ser guapo" con complexión de proporción regular, más con músculo y fuerza que con delgadez. Lo anterior corresponde con las categorías que describen Strommen Mckinney y Fitzgerald (1991), quienes argumentan que el niño "rechoncho" tropieza con reacciones negativas a su estructura corporal, mientras que el niño de estatura media y musculoso resulta objeto de reacciones positivas, es decir, estos niños son calificados como atractivos o guapos (García, 2000).

5 Adolescencia y obesidad

Adolescencia y autoconcepto

La adolescencia es un periodo de rápido crecimiento físico acompañado de profundos cambios emocionales y psicológicos. Es una etapa en la que las normas de los compañeros de grupo y las expectativas sociales desempeñan un papel muy importante en el desarrollo del autoconcepto (Pritchard *et al.*, 1997).

Hilde Bruch escribió: "No hay duda que para un niño la obesidad es un estado de existencia indeseable; lo es aún más para un adolescente, quien, a pesar de tener un mínimo sobrepeso, puede padecer las consecuencias de una sociedad obsesionada con la delgadez" (Bruch, 1980).

El adolescente, al preocuparse por su cuerpo y la rapidez de los cambios físicos que sufre, coloca su interés en "cómo se ve y cómo lo ven los demás".

Además se ha observado que las mujeres son juzgadas por "cómo se ven" en un mayor grado que los hombres, por lo que la estigmatización del sobrepeso y la obesidad es mayor para las mujeres (Cazjka-Narins *et al.*, 1990, tomado de Pritchard *et al.*, 1997). Esto da como resultado que los adolescentes obesos desarrollen una imagen negativa de sí mismos, que persiste hasta la adultez y les deja secuelas psicológicas para el resto de la vida (Dietz, 1998).

Lo anterior fue comprobado en un estudio realizado en 1997 por Pritchard *et al.* (1997), en el que se encontró una relación entre el alto índice de masa corporal (sobrepeso u obesidad) y el autoconcepto negativo tanto en hombres como en mujeres adolescentes; estas últimas presentaron un autoconcepto negativo más pronunciado. Es decir, a mayor peso corporal, mayor autoconcepto negativo.

De acuerdo con una investigación realizada por O'Dea en 1999, si dividimos al autoconcepto en diferentes áreas como el sentirse capaz en cuanto a: habilidad escolar, habilidad laboral, aceptación social, capacidad de atracción física, forma de comportamiento, apariencia física y habilidad atlética, podemos observar que el adolescente obeso tiene un bajo autoconcepto, ya que no le da gran importancia a la habilidad escolar, cree tener menos habilidades para desarrollarse dentro de un trabajo y se siente poco aceptado por la sociedad; de igual forma, no se siente a gusto con su apariencia física. En cuanto a su habilidad atlética, que es de gran importancia para el adolescente, éste se siente inadecuado para ese tipo de actividades por las limitaciones que presenta, por su falta de agilidad y de coordinación en los juegos de pelota, como el futbol, el basquetbol, el volibol, etcétera (O' Dea y Abraham, 1999).

Por último, en un estudio realizado por Sobal (1995), se encontró que los varones adolescentes eligen como pareja, con menos frecuencia, a jóvenes obesas, y que, por el contrario, las jóvenes adolescentes son más tolerantes a la obesidad de su pareja (Pritchard *et al.*, 1997).

Autoestima del adolescente obeso

De acuerdo con Strauss, estos chicos presentan un nivel mayor de tristeza, soledad y "nerviosismo". Fuman e ingieren alcohol con mayor frecuencia en comparación con los adolescentes no obesos con una autoestima más alta. Asimismo se encontró que las jóvenes adolescentes presentaron baja autoestima con mayor frecuencia desde la pubertad (Strauss, 2000) (véase "Autoestima", en cap. 4).

Imagen corporal dañada

Los cambios físicos que se dan dentro de la pubertad tienen un gran impacto en la aceptación de su cuerpo. Para los adolescentes, el incremento de tamaño y el desarrollo muscular mejoran su imagen corporal; ellos se sienten muy orgullosos de su crecimiento e incluso algunos llegan a medirse con cierta regularidad, demostrando así su interés en dicha área. En cuanto a las adolescentes, ellas también se encuentran muy preocupadas por su aspecto físico, por el ensanchamiento de sus caderas y el crecimiento de sus senos y glúteos, además del incremento en su estatura, por lo que están muy conscientes de tal desarrollo.

¿Pero qué pasa cuando no se crece hacia arriba sino hacia los lados? Cuando la familia va de compras y la talla más grande en el departamento de jóvenes no les queda, ¿cómo perciben su cuerpo? Es ahí precisamente cuando la imagen corporal se daña, porque siendo adolescentes sólo encuentran ropa de adultos y representan una edad que no tienen al no poder vestir la ropa de moda que usan sus compañeros y compañeras con un peso adecuado.

Además se cree que las niñas que desarrollan una imagen negativa de su cuerpo en la adolescencia temprana, tienen un mayor riesgo de desarrollar problemas de tipo alimenticio (Dietz, 1998).

La obesidad y el ámbito social del adolescente

Consecuencias sociales tanto en adolescentes como en adultos jóvenes: algunas investigaciones

En un estudio realizado en Nueva Inglaterra se demostró que las adolescentes obesas que deseaban entrar a un grupo de elite eran aceptadas con menos frecuencia en comparación con las adolescentes delgadas. Dicho estudio es una clara muestra de los prejuicios acerca de la obesidad, así como del rechazo que sufren las niñas obesas.

En un estudio longitudinal realizado en Estados Unidos se observó que las mujeres entre 16 y 24 años que fueron obesas en su adolescencia tardía y en su adultez temprana, obtuvieron significativamente menos éxitos en el nivel máximo de educación que alcanzaron y el número de matrimonios que formaron fue menor, en comparación con las mujeres delgadas. Pero además, los niveles de pobreza eran más altos en las mujeres obesas. Por el contrario, no se encontraron dichas diferencias entre los hombres obesos y no obesos. Sin embargo, también se ha observado que, a pesar de que la familia tenga un nivel socioeconómico y educativo alto, se ha visto la persistencia de los efectos de la obesidad en diversas áreas de desenvolvimiento social.

Por último, la comparación entre el desenvolvimiento social de las adolescentes obesas con el de las mujeres que sufren otras enfermedades demostró que sólo la obesidad ejerce un efecto negativo en dicho desenvolvimiento.

Estos datos sugieren que la obesidad puede ser la causa de la discapacidad socioeconómica que puede sufrir una mujer obesa durante la adolescencia tardía, debido al efecto de su presencia física.

En otro estudio realizado en Estados Unidos se comprobó que los individuos que desarrollan obesidad en la niñez muestran mayores repercusiones psicológicas en comparación con aquellos que desarrollan obesidad en una edad posterior.

Existen muchas investigaciones que han explorado la personalidad y las características psicológicas de los individuos obesos. Estas investigaciones han asociado las características de personalidad del obeso con dependencia, pasividad, baja asertividad, bajo nivel de introspección y baja autoestima.

Se ha descubierto que las personas obesas tienen mayores niveles de depresión, además de padecer estados de ansiedad, en comparación con la gente no obesa. Asimismo, la gente obesa tiende a desarrollar desórdenes somáticos y hábitos neuróticos, y en consecuencia tiene problemas para adaptarse (Strauss, 2000).

Por último, desde una edad temprana los pacientes obesos han presentado mayores problemas respecto de su imagen corporal en comparación con los que se convirtieron en obesos en una edad posterior (Dorantes y Coyote, 1995).

Anorexia y bulimia en la adolescencia

Es importante subrayar que la sociedad ejerce una enorme presión en la forma en que es vista la obesidad. Si bien es importante mantener un peso adecuado, no lo es el tratar de sostenerlo a través de conductas inadecuadas, como dejar de comer por periodos prolongados; mucho menos lo es el tratar los problemas de alimentación en los niños y los adolescentes mediante dietas rigurosas, las cuales pueden traer como consecuencia dos de los trastornos más inquietantes de la alimentación: la anorexia y la bulimia, los cuales, como bien se sabe, pueden llevar a la muerte.

De acuerdo con Szydlo y Woolston (2004), consideramos que la moda, las revistas femeninas y los anuncios publicitarios, es decir, los medios de comunicación, promueven cada vez con mayor frecuencia la figura excesivamente delgada, y que pueden llevar a las adolescentes a imitar dichos modelos y a tratar de mantenerse dentro de una talla específica tal como las modelos que deben lucir los atuendos de grandes diseñadores. Como resultado, dicho tipo de trastornos se presentan con mayor frecuencia en las clínicas de salud.

Anorexia nerviosa

La sintomatología principal de este trastorno consiste en mantener el peso corporal por debajo de lo esperado para su edad y, en determinados casos, puede llegar a tales límites que ponen en riesgo la vida del paciente. Asimismo, se presenta un miedo intenso a ganar peso o convertirse en una persona obesa (Szydlo y Woolston, 2004). Desde el punto de vista de la imagen corporal, la persona percibe su cuerpo como obeso, a pesar de no estarlo.

Algunas personas con este trastorno pueden en ocasiones caer en la situación de alimentarse en exceso, acompañado de vómitos. Dichos episodios son conocidos como **bulimia**, que conlleva a un deseo desmesurado de comer que difícilmente se satisface.

La etapa en la que se establece generalmente es en la adolescencia, aunque en esta nueva generación de adolescentes se comienza a ver en la adolescencia temprana a partir de los 12 años, predominando en las mujeres. Dicho padecimiento puede ser progresivo hasta llegar a la muerte, o bien episódico y con una recuperación posterior del peso normal (véase cuadro 5.1).

La anorexia debe diferenciarse de los trastornos depresivos simples, ya que es normal que una persona "triste", decaída, se alimente de manera deficiente y en consecuencia pierda peso. Asimismo, en ocasiones, las personas con trastornos somáticos también pierden peso, pero a diferencia de la anorexia, no presentan una alteración en el esquema corporal, ni miedo irracional a convertirse en individuos obesos (Asociación Psiquiátrica Americana, 1984).

Este tipo de casos requiere siempre atención médica.

Cuadro 5.1. Sintomatología de la anorexia.

a) Rechazo a mantener el peso en lo mínimo normal para su edad.
b) Temor intenso a subir de peso o volverse obeso, a pesar de estar por debajo de su peso normal.
c) Negar que es seria su situación de pérdida de peso.
d) Amenorrea, que es la falta del ciclo menstrual durante tres meses consecutivos, el cual puede regresar después de tratamiento hormonal a través de estrógenos.
e) Existen dos tipos: el **restrictivo**, en el que el paciente únicamente ha dejado de comer; y el **vomitivo**, en el que la persona recurre a comer en exceso para posteriormente producirse el vómito, además de utilizar laxantes, diuréticos y enemas.
f) Entre los síntomas físicos se encuentran: mareos, estreñimiento, distensión abdominal, hiperactividad o, por el contrario, se puede presentar falta de la energía necesaria para realizar sus actividades cotidianas, y depresión. En casos graves pueden presentar descalcificación de los dientes, complicaciones cardiovasculares y gastrointestinales, anemia e implicaciones renales y endocrinas, así como fracturas de los huesos y piel escamosa con un tono verdoso. Algunas de las complicaciones persisten, a pesar de la recuperación del peso.

Bulimia nerviosa

La sintomatología principal consiste en episodios recurrentes de desmesurado consumo de comida en un periodo corto (atracones), aumento anormal de la sensación de hambre, seguido de vómito provocado, y uso de laxantes y/o diuréticos (Asociación Psiquiátrica Americana, 1984).

Tales episodios pueden ser planificados, y los alimentos suelen ingerirse con disimulo e incluso en secreto. El episodio termina generalmente con la provocación del vómito, el cual alivia el dolor provocado por la distensión abdominal, permitiendo así continuar comiendo (véase cuadro 5.2). Con frecuencia puede observarse un estado de ánimo deprimido y, en algunas personas, hay abuso o dependencia a las drogas (Birch y Fisher, 1998).

Al igual que en la anorexia, la bulimia tiene su principio en la adolescencia, y se presenta con mayor frecuencia en las mujeres; por lo común, también los padres de las personas con estos trastornos se preocupan de su peso corporal y de hacer dietas. Por último, en la bulimia nerviosa las fluctuaciones de peso no son tan extremas como para amenazar la vida de la persona (MFMER, 2001).

Cuadro 5.2. Sintomatología de la bulimia.

a) Episodios recurrentes de voracidad (consumo rápido de grandes cantidades de alimentos) en un corto periodo, por lo general inferior a dos horas.
b) Al menos tres de los siguiente síntomas:

- Consumo fácil de alimentos con muchas calorías durante la comilona.
- Ingesta disimulada de alimentos durante la comilona.
- Terminación de los episodios de ingesta voraz con dolor abdominal, sueño, interrupción de la vida social o vómito autoprovocado.
- Intentos repetidos de perder peso con dietas exageradamente estrictas, vómitos autoprovocados, o empleo de laxantes y/o diuréticos.
- Frecuentes oscilaciones de peso, superiores a cinco kilos, por la alternancia de banquetes y ayunos.

c) Conciencia de que el patrón de ingesta es anormal y temor a no ser capaz de parar de comer voluntariamente.
d) Estado de ánimo depresivo y pensamientos autodespreciativos después de cada episodio de voracidad.
e) Los episodios bulímicos no son debidos a anorexia nerviosa ni a otro trastorno somático conocido.

6 ¿Cómo influye el ambiente en la obesidad de los niños?

La importancia de la leche materna en la aceptación de otros alimentos

De acuerdo con la Academia Americana de Pediatría, el hecho de que el niño sea alimentado con leche materna le permitirá experimentar los diferentes sabores de la comida, ya que la percepción de los sabores en la leche materna es una de las primeras experiencias sensoriales que tienen los niños, y que influirá más adelante en la aceptación de la comida en general.

Los niños alimentados con biberón han probado sólo un sabor, mientras que los niños alimentados con la leche materna han sido expuestos a una gran variedad de sabores, ya que la dieta alimenticia de la madre y la diversidad de alimentos que ésta ingiere determinan el sabor de la leche. A pesar de que no se tienen datos de los efectos a largo plazo de la leche materna y el biberón, se ha comprobado que la experiencia de la leche materna facilita la aceptación de alimentos sólidos durante el periodo de destete; asimismo, los niños muestran una mayor aceptación de alimentos nuevos en comparación con los niños alimentados con biberón, además de disminuir las infecciones gastrointestinales.

Por otro lado, durante el primer año de vida se da la transición de la leche hacia una gran variedad de alimentos. Las preferencias innatas del infante tienden a fijarse en los sabores dulces y salados y, por el contrario, rechazan los sabores agrios, amargos o extraños. La acepta-

ción de nuevos alimentos varía, no es instantánea, pero después de repetidas ocasiones, con paciencia, los aceptará (Birch y Fisher, 1998).

Preferencias en la comida como determinante del consumo de alimentos del niño

Según un estudio realizado por Baranowski y sus colaboradores (tomado de Birch, 1998) en el que examinaron los factores psicológicos, sociales y demográficos que influyen en el consumo de frutas y verduras, se observó que el incremento en el consumo de las verduras mejora la calidad del régimen alimenticio de los niños, por lo que concluyeron que el mejor método contra la obesidad es tratar de *cambiar las preferencias* de los niños en la selección de su comida, puesto que éstos prefieren combinar la comida alta en grasas con la comida alta en azúcares, como hamburguesas con malteadas y helados o chocolates (Birch y Fisher, 1998).

Estas preferencias de los niños también se relacionan con la obesidad y las preferencias de los padres. Por ello, es importante tomar en cuenta los hábitos alimenticios de los padres, ya que ello nos dará idea del tipo de comidas que se consumen en el hogar o en el restaurante. De este modo, si se considera que el niño es obeso, se deberá trabajar con los padres con el propósito de cambiar los hábitos alimenticios de toda la familia.

Un factor que determina las preferencias de alimentación de los niños es la escuela, debido al tipo de alimentos que se ofrecen durante el almuerzo, como pastas o frituras y pocas frutas y verduras o ninguna.

Lo anterior nos hace ver que las experiencias tempranas influyen en la aceptación de la comida, puesto que los niños comerán y les agradará más lo que les es familiar. Lo que les es familiar es lo que se encuentra a su alcance. De hecho, algunos datos muestran la similitud entre los patrones alimenticios de los padres y los de los hijos, de modo que cuando los padres consumen una dieta alta en grasas saturadas, los hijos también siguen la misma dieta.

El tipo de alimentos que los padres provean a sus hijos también influirá en las preferencias alimenticias y en los patrones de aceptación de la comida de estos últimos (Birch y Fisher, 1998).

Por ejemplo, veamos el caso de una madre que informa que su hija no come verduras; cuando se hace una sesión familiar en la que todos deben probar distintos alimentos, observamos que la madre rechaza las verduras, lo cual comprueba que la niña sigue los hábitos alimenticios de la madre.

En otro ejemplo, en una situación experimental con familias, se pidió a una familia de obesos que preparara una ensalada de frutas con un aderezo; ellos debían traer todo lo necesario para prepararla y además debían ponerse de acuerdo para escoger las frutas que fueran del agrado de todos los miembros de su familia. Curiosamente, esta familia llegó a la sesión con frutas en almíbar, crema en lata, nueces y pasas, y como único alimento fresco: manzanas. Utilizaron productos con un alto contenido en grasas y carbohidratos, adquiridos "normalmente" por los padres.

La exposición temprana de los niños a frutas y verduras o por el contrario a alimentos altos en calorías, azúcares y grasas, puede desempeñar un papel muy importante en el establecimiento de la preferencia y selección de alimentos.

En otra investigación realizada por el grupo de Baranowski se confirmó la relación entre la accesibilidad de la comida, las preferencias y el consumo de frutas y verduras dentro de la escuela. Estos autores se dieron cuenta de que los niños consumían una mayor cantidad de frutas y verduras dentro de la escuela en la medida en que éstos eran servidos con mayor frecuencia. Por tanto, concluyen que, en los niños, el acceso a una gran cantidad y variedad de frutas y verduras puede moldear los gustos y el consumo de dichos alimentos (Birch y Fisher, 1998).

Por ejemplo, una madre que "sufría" porque su hija no comía, observó que al entrar al jardín de niños y ser alimentada en la hora del recreo con los desayunos que brindaba la escuela, comenzó a probar diferentes tipos de comida, lo cual dio como resultado el que la pequeña comiera una gran variedad de alimentos.

Sin embargo, a pesar de que resulta fundamental la accesibilidad de los alimentos, también influyen las consecuencias fisiológicas y el contexto social para la aceptación de los mismos.

Para que un niño consuma una dieta balanceada se necesita incluir cinco grupos alimenticios: carbohidratos, lípidos, proteínas, vitaminas y minerales, además del agua. En el capítulo 7 se explicarán y se darán ejemplos de cada uno de estos grupos.

Consecuencias fisiológicas al ingerir alimentos altos en calorías

Otros mecanismos influyen también en el desarrollo de las preferencias hacia la comida alta en calorías. Por ejemplo, los niños tienen predisposición para preferir la comida alta en calorías en lugar de la comida baja en calorías, y aprenden a asociar estos sabores con las consecuencias fisiológicas positivas que resultan de una comida alta en calorías, especialmente cuando se tiene hambre. Es decir, las sensaciones fisiológicas que el cuerpo produce al ser alimentado de esta forma son agradables, lo cual provoca la preferencia a dichos alimentos; por ejemplo, el chocolate, al mismo tiempo que incrementa el azúcar en la sangre, provoca placer y bienestar, haciéndolo un alimento deseado.

Asimismo, en dicha forma de aprendizaje se asocia el sabor de la comida con signos de saciamiento, involucrados en la digestión y la absorción de la comida alta en calorías; por ejemplo, cuando se ingieren tacos, llega en menos tiempo el signo de saciamiento al cerebro que cuando se ingiere lechuga o cualquier otra verdura (Birch y Fisher 1998).

El papel del ambiente que rodea las preferencias de la comida del niño

Para los niños, el comer es generalmente una actividad social, y la observación de la manera de comer de otras personas, como los padres, adultos, hermanos, compañeros y otros niños, influye en el desarrollo de sus propias preferencias y en su conducta alimentaria.

El contexto social en donde el niño desarrolla sus patrones de alimentación resulta de gran importancia, como ya se dijo, porque la forma en que se alimenta la gente que lo rodea sirve como modelo; es decir, si un pequeño observa que en su ambiente se permite comer toda clase de frituras y golosinas, aprenderá que es lo habitual y continuará haciéndolo.

Los modelos pueden influir de manera significativa en la selección de alimentos, especialmente si son vistos como figuras de autoridad, como los padres o los hermanos mayores.

Un ejemplo de la importancia del modelo lo vemos cuando el niño mexicano adquiere el gusto por el chile, que a pesar de ser desagradable al inicio, se transforma en algo deseable, como "la pequeña de tres años que adora el chile, por lo que a la hora de la comida, toma la tortilla, la enrolla y la mete en el caldito del guisado picoso, para después probarla y expresar con singular alegría: ¡mmmm... chilito!", tal como ha visto a la abuela hacerlo en repetidas ocasiones.

Por último, las investigaciones muestran que, así como se aprenden las conductas alimentarias a través de la observación de los patrones de los padres, también se ha visto que existen padres que dicen estar a dieta toda su vida, y éste es un patrón que se repetirá con los hijos. Asimismo, dicha relación también se ha encontrado a la inversa, es decir, los padres que no tienen control en su alimentación, crían hijos que tampoco lo tienen.

Consecuencias de las restricciones impuestas por los padres en la comida

Los padres moldean de varias maneras el ambiente alimenticio de los hijos, desde la forma en que eligen alimentar al niño, ya sea con pecho o fórmula, hasta el tipo de alimentos que se encuentran en el hogar. La forma en que se les exigen o se les prohíben ciertos alimentos, así como la forma en que el niño es expuesto a los medios de comunicación, como la radio y la televisión, también es determinada por los padres.

En los medios de comunicación, los mensajes constantes en los que se sugiere que una "mejor nutrición mejorará la salud y la apariencia física" han propiciado el aumento de ambientes alimenticios complejos en donde los padres tratan de alimentar a sus hijos de la forma más sana posible. La televisión condiciona tanto la obesidad como los trastornos de alimentación.

Sin embargo, cuando dichos mensajes son interpretados de forma categórica, pueden provocar que los padres quieran restringir la comida "mala" y aumentar la comida "buena", en lugar de mantener un equilibrio entre ambas. Además, la forma en que los padres alimentan a sus hijos puede ser demasiado controladora y tener efectos negativos en los niños, sobre todo cuando los padres están muy preocupados por el riesgo del niño a padecer obesidad.

Asimismo, cuando los padres alimentan a sus hijos tratando de controlar qué y cuánto comen, pueden afectar no sólo sus preferencias sino provocar un conflicto con ellos. Las estrategias de alimentación en las que se presiona el consumo de cierto tipo de alimentos puede incrementar la aversión hacia dicho alimento, sobre todo cuando hablamos de frutas y verduras. Por ejemplo, cuando le servimos al niño un plato de sopa de verduras y vemos que no lo desea comer, le decimos que no se puede levantar de la mesa hasta que no se lo termine; entonces, el niño llora y patalea y después de un tiempo la sopa se enfría, y menos desea comerla; todo ello provoca un conflicto familiar que incrementa la aversión hacia la verdura.

En una encuesta de opinión, algunos investigadores se percataron de que 40% de los padres consideraba que el prohibir a sus hijos el consumo de alimentos "chatarra" era suficiente para que dejaran de comerlos, pero esto no fue así. El restringir el acceso del niño a este tipo de comida no produce que el niño no la desee, sino que por el contrario, este tipo de restricción incrementa el gusto por dicho alimento y en ocasiones también su consumo (Asociación Psiquiátrica Americana, 1984).

Es clásico el ejemplo de una adolescente de 12 años que pertenecía a un grupo de chicas exploradoras y que, para obtener una insignia, la jefa de tropa le impuso el reto de dejar de comer golosinas. Pero al contrario de lo esperado, la niña incrementó la cantidad de comida chatarra, por lo que tardó ocho meses en obtener su insignia en lugar de tres meses, además de que se creó una relación negativa entre la niña y su jefa de tropa, a pesar de que la propuesta era bien intencionada.

Este ejemplo nos permite ver que restringir el acceso a este tipo de alimentos puede promover un aumento en el consumo del mismo. Además, cuando las madres prohíben a sus hijos el consumo de golosinas dentro del hogar, provocan que ellos lo hagan en lugares donde no hay tal restricción, como la escuela, las fiestas o en visitas a las casas de sus amigos.

En ocasiones, los alimentos chatarra son utilizados como premios, lo cual incrementa el gusto por ellos; por ejemplo, cuando le decimos al niño: "Si te comes tu carne, te doy una paleta de postre." De esta manera, condicionamos la comida y promovemos las golosinas, además de los problemas dentales que dicha conducta produce (Birch y Fisher, 1998).

Este tipo de alimentación puede mandar mensajes cruzados a los niños, dado que las golosinas prohibidas en la alimentación diaria son ofrecidas a menudo dentro de un contexto social positivo, como las fiestas y las comidas familiares, pero son restringidas en la vida diaria, cuando la simple reunión debería ser lo suficientemente placentera, sin la necesidad de los dulces (Dietz, 1998).

Lo deseable es crear hábitos alimenticios en que haya un consumo limitado y moderado de alimentos altos en grasas y azúcares.

La autorregulación en el consumo de alimentos en el niño

Es de gran importancia que el niño aprenda a regular la cantidad de comida que consume. Se ha comprobado que, cuando un bebé es alimentado con leche materna, puede aprender a autorregular el consumo diario de ésta, ya que obedece a las sensaciones de hambre o saciedad que tiene y no a la medida que le es impuesta por la madre cuando se le alimenta con fórmula, con lo cual la madre presiona al bebé a terminar la botella completa o la cantidad de onzas que "se supone" debe tomar.

Lo mismo ocurre en los niños entre seis y 12 años de edad, que no aprenden a regular la cantidad de alimento que necesitan porque los padres tienden a obligarlos a dejar el plato limpio o a comer varios platillos que conforman el menú del día.

Por ello, cuando el niño diga "ya me llené", se debe comprender y aceptar su sensación de saciedad y no se debe forzarlo a seguir comiendo. De esta forma, aprenderá a distinguir entre hambre y gula, que es uno de los problemas principales de la obesidad.

Una forma distorsionada de percibir el hambre

La razón más persistente de la obesidad es la incapacidad de las personas para bajar de peso, aduciendo "falta de fuerza de voluntad" para hacerlo, pero se debe tomar en cuenta que los niños obesos en particular son incapaces de resistir la tentación de la comida, la cual generalmente es omnipresente. Las investigaciones recientes han mostrado que esta "falta de voluntad" tiene una connotación social, y se encuentra más bien relacionada con una forma anormal de respuesta al hambre.

Muchas personas justifican el exceso en comer con estar siempre hambrientas. Sin embargo, lo que en realidad sucede es que no reconocen cuándo tienen necesidad de alimentarse y cuándo lo hacen para saciar otro tipo de necesidades, es decir, no diferencian entre el hambre verdadera y otros estados de ánimo que les brindan placer, los cuales malinterpretan como una necesidad de comer.

La comida tiende a ser utilizada incorrectamente como la solución para una gran cantidad de conflictos, ya que en la obesidad el comer se utiliza de manera indiferenciada; es decir, comen si se sienten deprimidos, comen si están contentos, comen si se encuentran angustiados: por todo y para todo, comen.

Asimismo, se ha visto que el problema puede estar relacionado con experiencias previas, puesto que un niño que come cuando ve comida, la utiliza para aliviar estados de tensión y de insatisfacción, porque en general ha sido criado por una madre bien intencionada, pero insegura o ansiosa, quien lo alimenta en forma indiscriminada cuando él expresa cualquier tipo de insatisfacción. Así, la madre le ha enseñado al hijo a aliviar sus penas a través de la comida; por ejemplo: "Si te sientes triste, come un helado y te sentirás mejor" o "Si estás enojado, come una pieza de pan y no te dolerá tu estomaguito." Pero dicho énfasis en la alimentación le impide al niño aprender de sus experiencias tempranas, para discriminar entre la sensación del hambre y otras fuentes de placer. Cuanto más insegura sea la madre, con mayor frecuencia responderá inadecuadamente a lo que en realidad necesita su hijo.

Estudios recientes han hecho énfasis en la exploración del significado simbólico de la comida, como cuando la madre ofrece la comida como símbolo de amor.

Lo anterior dará como resultado que el niño crezca confundido respecto de sus sensaciones, puesto que no sabrá discriminar entre el hambre y otras clases de insatisfacción psicológica.

Las historias de un niño obeso evidencian rara vez negligencia por parte de los padres, falta de cariño o afecto; por el contrario, por lo regular la actitud de la madre es de "sobreprotección". El problema radica en la forma en que la madre ofrece la comida, lo cual depende de lo que cree que el niño necesita y no de lo que el niño expresa, y finalmente, la madre tiene el poder para obligar al niño a hacer lo que ella quiere, por lo que con frecuencia ella decide cuándo y cuánto debe comer el niño (Bruch, 1980).

Factores que influyen en las formas de alimentación de los niños

En una discusión sobre la propensión a la obesidad, Costanzo y Woody aseguran que los padres suelen controlar demasiado a sus hijos con respecto a la comida cuando:

a) Los padres tienen problemas para regular o controlar su propia conducta alimentaria, es decir, desplazan su falta de autocontrol a sus hijos.
b) El niño es percibido como si tuviera riesgo de desarrollar un problema de obesidad, es decir, "dado que en la familia hay gorditos, entonces tengo que cuidarlo mucho para que no sea uno más de ellos".
c) El niño demuestra una falta de autorregulación, es decir, no se puede controlar y come demasiado.

Estos autores concuerdan en que los estilos controladores de los padres impiden que los hijos asuman la responsabilidad de su propio cuerpo, ya que éstos pierden la habilidad para desarrollar "conductas autorreguladoras". De este modo, los padres promueven, en forma contradictoria, un problema que tratan de evadir (Birch y Fisher, 1998).

Muchos estudios sugieren que un alto grado de control por parte de los padres se asocia con un bajo autocontrol del niño. Por ejemplo, cuando a un niño se le recuerda a menudo que debe comer menos, él tiende a responder de manera contraria, porque siente la orden como una crítica constante y se rebela internamente contra esta crítica comiendo más; de esa forma, maneja el conflicto contra la madre o el padre.

Por lo común, este tipo de conflictos tiende a trasladarse a otras áreas de su relación con los padres, y aunque en ocasiones perciba la prohibición externa, no la internaliza, es decir, no la hace suya.

Algunas investigaciones han mostrado que los padres de niños obesos son más controladores que los padres de los niños con peso normal, lo cual confirma todo lo que se ha dicho (Birch y Fisher, 1998).

Por tanto, se sugiere que la responsabilidad en el control de la comida sea compartida entre el niño y los padres de manera que estos últimos tengan la responsabilidad de proveer alimentos nutritivos a su hijo, y el niño, por su parte, tenga la responsabilidad de decidir cuándo y cuánto comer.

Por otro lado, la forma en que se alimenta el niño también puede incrementar la preocupación y el control que los padres ejercen cuando éstos se dan cuenta de que el niño corre el riesgo de convertirse en obeso y/o presenta problemas de alimentación. Por ejemplo, Stunkard y Kaplan (citados por Birch y Fisher, 1998) reportaron que un niño obeso come mucho más rápido que un niño normal, dando más bocados y masticando menos veces, por lo que los autores sugieren que este estilo de alimentación refleja la disparidad en la señal de saciamiento o una disparidad en la respuesta a dicha señal; es decir, no hay un vínculo entre la proporción de la comida que se come y la señal de saciamiento, de modo que los niños tienden a no parar de comer o comen en exceso porque su cerebro y su estómago no les indican adecuadamente cuándo ya están llenos y cuándo todavía necesitan más comida. Por ello, debe servirse a los niños la porción adecuada para su edad (Birch y Fisher, 1998).

Efectos de la televisión en la dieta y su relación con la obesidad

La televisión es un poderoso medio que forma parte de la cultura, y en la actualidad ofrece al niño una amplia gama de modelos y mensajes relacionados con la comida, lo cual puede tener una influencia negativa porque:

1. Influye en la selección de alimentos.
2. Fomenta el comer constantemente.
3. Promueve el sedentarismo.

Selección de alimentos

Los comerciales de la televisión anuncian constantemente productos alimenticios con un valor nutricional bajo, mencionando por lo general cereales altos en azúcares y comida "chatarra" alta en grasas, sal, picantes y azúcares en exceso, que cambian con frecuencia de nombre y presentación para hacerlos siempre llamativos y crear la necesidad de consumirlos (Jeffrey *et al.*, 1982).

Asimismo, un grupo de investigadores revelaron que lo que piden los niños para comer, en gran medida, está relacionado con la frecuencia en que dichos productos son anunciados en la televisión. Por ejemplo, se observó que los niños que estaban expuestos a los comerciales seleccionaban comida con más azúcar en comparación con los niños que no tienen acceso a dicha publicidad (Jeffrey *et al.*, 1982).

La exposición repetida a los comerciales de televisión, especialmente los de comida alta en calorías, puede orientar las preferencias de los niños hacia los alimentos hipercalóricos y con un nivel nutritivo bajo.

De igual forma, otros investigadores comenzaron a examinar los efectos de estos comerciales a través de autorreportes, encuestas y estudios de correlación, y encontraron que en promedio los niños ven la televisión 28 horas a la semana; así, en un año, ven alrededor de 11 000 comerciales de comida "chatarra", lo cual determina sus gustos, por lo que continuamente compran o piden que les compren en las tiendas los alimentos que se anuncian (Jeffrey *et al.*, 1982).

Por otro lado, en diversos experimentos conductuales de la Universidad de Montana, Estados Unidos, se reportó con detalle la relación que hay entre los comerciales y el consumo de alimentos altos en calorías. La investigación se enfocó a buscar la forma de medir el impacto de los comerciales en relación con la cantidad de alimentos consumidos. Posteriormente, se realizaron varios estudios en que se investigaron tres tipos de comerciales en cuanto a su impacto en la selección de alimentos de los niños:

a) Comerciales a favor de alimentos con un valor nutritivo alto. Por ejemplo: frutas, verduras, leche, etcétera.
b) Comerciales de alimentos con un valor nutritivo bajo. Por ejemplo: golosinas, comida "chatarra" y comida "rápida".
c) Comerciales que no anuncian alimentos.

Los resultados obtenidos mostraron que los anuncios de comerciales de alimentos poco nutritivos son más efectivos e incrementan el consumo de los mismos porque se presentan en forma más llamativa, quizá por razones económicas de los fabricantes. En cambio, los comerciales de alimentos nutritivos tienen un bajo impacto en la selección de éstos, porque seguramente son más caros para los fabricantes (Dietz y Gortmaker, 1985).

La televisión fomenta el comer constantemente

El estar sentados frente al televisor crea el hábito de comer constantemente, así como un condicionamiento fisiológico que relaciona el ver la televisión con el comer, por lo que se llega a establecer una necesidad, tanto en el niño como en el adulto, de ver la televisión comiendo. Esta conducta se ha extendido incluso al cine, donde la gente va a ver la película y consume lo que se vende en la dulcería.

La televisión promueve el sedentarismo

El sedentarismo que promueve la televisión determina la falta de actividad física. Es decir, el tiempo que el niño pudiera utilizar para usar su bicicleta, correr en patines o simplemente jugar fuera de casa, disminuye, lo cual provoca una incidencia mayor de obesidad.

En un estudio de Gortmarker *et al.* (1996) se observó que los niños que ven la televisión por más de cinco horas al día tienden a ser ocho veces más obesos en comparación con los niños que sólo ven la televisión entre cero y dos horas al día.

Por ello, el evitar que los niños y adolescentes vean por tiempo excesivo la televisión puede ayudar a prevenir la obesidad.

Se ha comprobado también que el observar por mucho tiempo la televisión produce que las habilidades físicas se vean afectadas. En un estudio, Tucker (1986) observó que los jóvenes adolescentes que veían con menor frecuencia la televisión lograban un mejor desempeño en actividades, como sentadillas, correr, salto de longitud y de obstáculos, en comparación con los adolescentes que veían la televisión con mayor frecuencia.

Los hallazgos de dicha investigación indican que para poder tener un buen desempeño físico es recomendable que el tiempo destinado a ver la televisión se limite a una hora o menos, al día.

Continuando bajo el mismo rubro, encontramos que de acuerdo con Crespo *et al.* (2001), las niñas que ven la televisión cuatro o más horas al día tienen un riesgo mayor de convertirse en obesas; asimismo, dichas niñas se involucran muy poco en actividades físicas, a pesar de consumir menos calorías al día en comparación con los niños.

Otro estudio diseñado con dos grupos de niños: al primer grupo se le impartieron 18 clases para reducir el tiempo de televisión, de videocasetera y de videojuegos, en un periodo de seis meses; mientras que al segundo grupo no se le designó ninguna prohibición. Posteriormente, los investigadores midieron los cambios de los niños respecto de su peso, altura, grosor de las capas de su brazo, y sus medidas tanto de cadera como de cintura, además de su estado cardiorrespiratorio; además, evaluaron el autorreporte de los niños sobre el uso de dichos medios de entretenimiento, su actividad física y sus conductas alimentarias, así como el reporte de los padres respecto de la conducta tanto del niño como de la familia. Los resultados indicaron que los niños que fueron intervenidos mostraron una disminución significativa en el "índice de peso corporal", es decir, bajaron de peso y de otros parámetros. Por último, estos niños no comían frente al televisor (Jeffrey *et al.*, 1982).

No sólo debe tomarse en cuenta el televisor como una actividad sedentaria, ya que las videocaseteras, el DVD y los juegos de video, como *Nintendo* o *Play Station*, tienden a producir los mismos efectos en relación con la obesidad.

El papel de la familia en la obesidad

La familia del niño obeso:

- Motiva la sobrealimentación y la inactividad.
- No provee otras fuentes de satisfacción.
- Es "sobreprotectora".
- Carece de espontaneidad, iniciativa y autoconfianza.

El niño obeso carga con todo el peso familiar, lo cual motiva la sobrealimentación, la inactividad y otros hábitos asociados con la obesidad, por la falla familiar en ayudar al niño a desarrollar otras fuentes de satisfacción. No sólo el niño no quiere cambiar sus patrones de alimentación, sino que los padres tampoco lo quieren hacer, en especial la madre, quien es la que se rehúsa a seguir los consejos que se le dan. En general, los padres ponen objeciones ante cualquier restricción, o quizá reaccionan como si se les pidiera que impusieran un régimen rígido de alimentación cuando en realidad sólo se les está recomendando una dieta adecuada (Bruch, 1980).

Además, Bruch reveló que, a pesar de todos los efectos negativos que produce la obesidad, representa un vínculo importante en la interacción madre-hijo, ya que es la madre quien lo alimenta y a través de la comida le hace sentir su amor, y si lo dejara de alimentar de la forma en que lo hace, el niño podría sentir que ya no se le quiere igual o que simplemente se le ha dejado de amar. Asimismo, en su estudio del desarrollo de la obesidad, la autora revela que los niños obesos son infelices, pero no sólo por el hecho de estar gordos, sino porque las conductas y los síntomas que presentan se encuentran claramente relacionados con profundos sentimientos de inseguridad, además de una gran necesidad de ayuda, conductas que inducen a comer (véase cap. 3).

7 Nutrición

Introducción

En este capítulo se explican los grupos alimenticios que existen, su funcionamiento y sus características. Asimismo, se presenta una guía de alimentación específica para que los padres ayuden a sus hijos a disminuir su peso corporal, y se añade otra guía diseñada para el mantenimiento de ese peso; también se mencionan algunas medidas que ayudarán a disminuir el número de calorías de los alimentos consumidos. Por último, se incluye una tabla de alimentos de la dieta mexicana que deben consumirse con moderación.

Grupos alimenticios

Para contar con una alimentación sana, deben suministrarse al cuerpo alimentos de los diferentes grupos alimenticios:

a) Proteínas
b) Carbohidratos
c) Lípidos (grasas)
d) Vitaminas
e) Minerales
f) Agua

Las proteínas, los carbohidratos y los lípidos corresponden al subgrupo de los **macronutrientes** que aportan energía a nuestro cuerpo.

Proteínas

Definición y funciones principales

Las **proteínas** son una parte esencial de la dieta diaria, y al entrar al organismo se convierten en aminoácidos, los cuales están compuestos de carbono, oxígeno, hidrógeno y nitrógeno; algunos contienen azufre.

Estas proteínas son los elementos principales que estructuran la piel, el cabello, las uñas, los músculos y el tejido conectivo (tendones, ligamentos y cartílagos). Otras proteínas, llamadas **enzimas**, aceleran los procesos metabólicos en el cuerpo.

En la sangre, las proteínas llevan oxígeno a todas las células y eliminan el bióxido de carbono y otros productos de desecho. Los músculos, los tejidos conectivos y la sangre contienen la mayor parte de las proteínas.

Las proteínas son muy importantes durante el crecimiento del niño. Sin embargo, la necesidad de proteínas en el cuerpo siempre persiste, aun cuando ya no estemos creciendo (Rizza y Harrison, 2002).

Ejemplos

Carne sin grasa, pollo, pescado, huevos, leche y sus derivados bajos en grasa; además de semillas, como frijoles, garbanzos, lentejas y una extensa variedad de nueces.

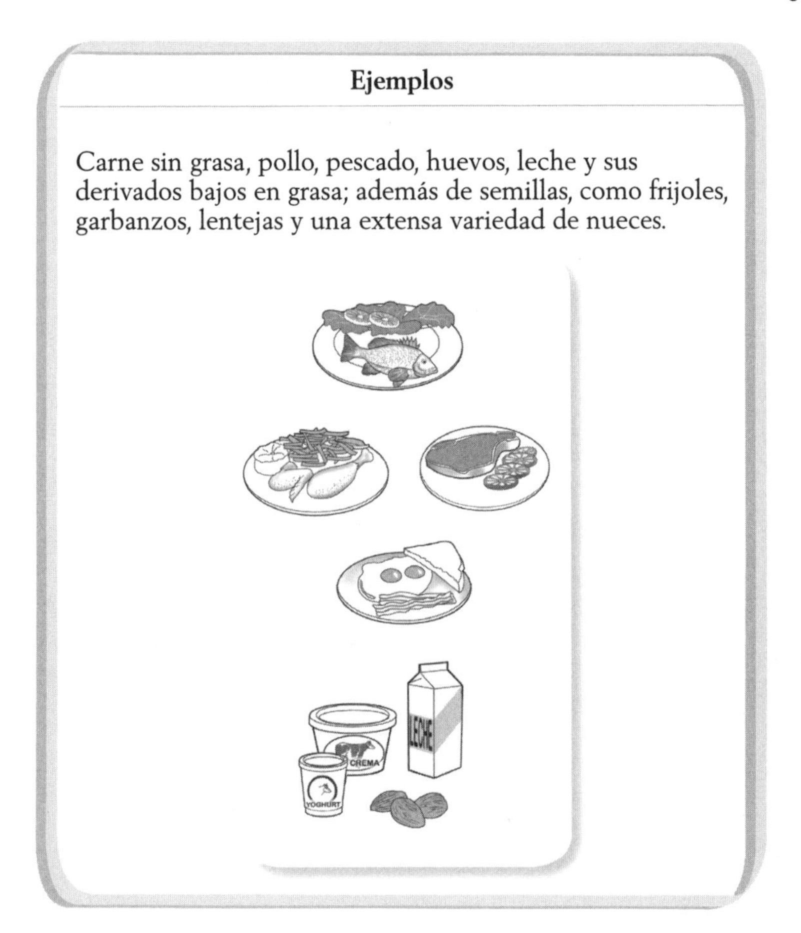

Carbohidratos (azúcares y almidones)

Definición y funciones principales

Los **carbohidratos** contienen un gran número de nutrientes y son la fuente más importante de energía para el funcionamiento del cuerpo, pero si se abusa de ellos, pueden producir sobrepeso. Se dividen en azúcares simples y en carbohidratos complejos; estos últimos incluyen la fibra y los almidones.

Por otro lado, aunque se supone que los endulzantes químicos son la mejor opción para evitar los efectos de los azúcares naturales, son utilizados generalmente para preparar alimentos con un nivel nutritivo muy bajo, que no son recomendables para los niños (Rizza y Harrison, 2002).

Ejemplos

Azúcar, pasta, harina, pan, cereales, frutas y verduras.

Los carbohidratos son de vital importancia para nuestro cuerpo, ya que son el mejor combustible para éste. Tienen el mayor potencial para proporcionar energía, de modo que el organismo obtiene un mayor nivel de glucosa, que fluye en la corriente sanguínea, después de haber ingerido este tipo de alimento.

Es decir, durante la digestión, el cuerpo descompone los carbohidratos en forma de energía que puede usar de inmediato; la glucosa se transfiere de las células intestinales a la sangre y, por último, la sangre la transporta a todo el organismo (Burani y Rao, 2003).

Entre los buenos carbohidratos se incluyen los cereales, los granos, las legumbres, las frutas, las verduras y los productos lácteos.

Otro punto importante se refiere al **índice glucémico.** Este término significa "azúcar en la sangre", y los alimentos que proveen más azúcar al cuerpo son precisamente los carbohidratos (Burani y Rao, 2003).

En la tabla 7.1 se mencionan los alimentos que contienen un índice glucémico alto, intermedio y bajo.

Tabla 7.1. Índice glucémico de los alimentos.

Nivel	*Alimento*	*Índice glucémico*
Alto	Hojuelas de maíz	84
	Cheerios	74
	Pasteles de arroz	82
	Sandía	72
	Puré de papas instantáneo	86
	Bolillo o telera	95
Intermedio	Maíz	55
	Galletas para té	55
	Helado	61
	Barra de granola	61
	Sopa de chícharo	66
	Arroz blanco de grano largo	56
Bajo	Leche descremada	32
	Naranja	44
	Macarrones	45
	Mermelada de fresa	51
	Pan integral de centeno	51
	Frijoles	48
	Garbanzos	42

Los alimentos con un índice glucémico alto son los que producen energía inmediata, mientras que aquellos con un índice bajo crean energía almacenada.

Los **carbohidratos de digestión rápida** proveen energía inmediata al organismo, como la harina de trigo enriquecida (pan blanco) o los productos altamente procesados. En ambos casos, el cuerpo tiende a descomponer con rapidez los carbohidratos en glucosa, lo que permite una digestión rápida. Una vez que las moléculas de glucosa están listas en el intestino delgado, pasan a la sangre, creando un aumento de azúcar, lo cual da como resultado energía inmediata; los cereales de hojuelas de maíz, de arroz y avena instantánea son un ejemplo de carbohidratos de digestión rápida (Burani y Rao, 2003).

Este tipo de alimentos se recomiendan cuando se requiere energía inmediata; por ejemplo, para los deportistas o para los niños y los adultos que necesitan un alto rendimiento en sus horas de trabajo, sobre todo durante la mañana.

Los alimentos que proporcionan energía almacenada son los **carbohidratos de digestión lenta**, ya que su ingrediente principal, como la harina de trigo al 100% en el pan, está sin procesar. En este caso, el cuerpo tiene que esforzarse más para descomponer las moléculas de carbohidratos en glucosa y todo se digerirá, pero el proceso tardará más tiempo en terminar. Ejemplos de este tipo de alimentos son: el salvado, la pasta (espagueti semiduro), el pan de centeno, las galletas integrales, las tortillas de harina integral y las manzanas (Burani y Rao, 2003).

Los alimentos de digestión lenta se recomiendan con el objeto de disminuir el apetito durante el día, situación que es necesaria cuando se desea bajar de peso.

Lípidos (grasas)

Definición y funciones principales

Los **lípidos** constituyen una gran fuente de energía. La grasa de la comida proporciona nueve calorías por gramo, más del doble que los carbohidratos y las proteínas. Por ello, las comidas altas en grasas son consideradas fuentes de energía "hipercalóricas".

Ahora bien, cualquier grasa que no es utilizada por el cuerpo como energía, es almacenada en las células grasas, produciendo aumento de peso, por lo que se recomienda que conformen no más de 30% de la dieta diaria.

Hay cuatro tipos de grasas:

a) Polisaturadas.
b) Transaturadas, que son las más dañinas para el organismo.
c) Monosaturadas.
d) Poliinsaturadas, que se utilizan para sustituir a las primeras.

Una de las funciones de las grasas es la creación de membranas y hormonas indispensables en el organismo, como la testosterona, la progesterona y el estrógeno. Asimismo, permiten que las vitaminas A, D, E y K sean absorbidas y transportadas a través de la sangre hacia su destino. Por último, nos protegen de la falta de insulina (Rizza y Harrison, 2002).

Ejemplos

a) Polisaturadas: carne de res y de cerdo con grasa.
b) Transaturadas: comida "chatarra" como papas fritas, frituras y golosinas.
c) Monosaturadas: aceite de oliva.
d) Poliinsaturadas: aceite de semillas de girasol.

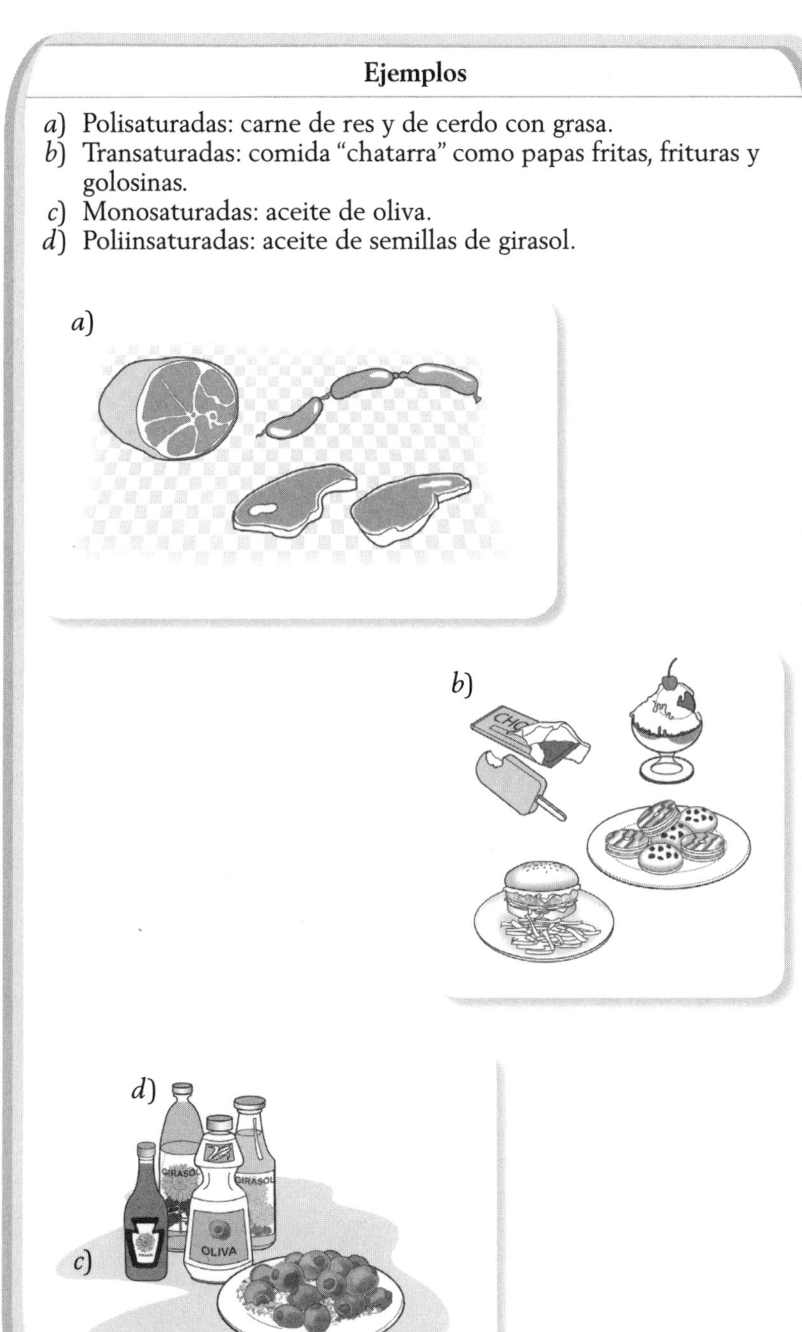

En el cuadro 7.1 se muestran los tipos de grasas que existen, su definición y algunos ejemplos.

Cuadro 7.1. Tipos de grasas.

Tipo de grasas	*Definición*	*Generalmente se encuentran en*	*Ejemplos*
Grasas saturadas	Estas grasas se encuentran saturadas de hidrógeno e incrementan los niveles de colesterol en la sangre, por lo que constituyen un peligro, dado que pueden ocasionar enfermedades cardiacas, como la obstrucción de las arterias coronarias; además de que por lo común se solidifican a temperatura ambiente.	Productos de origen animal, lácteos y otros.	Carne de res y de cerdo Mantequilla Leche entera Quesos asaderos (Oaxaca, manchego, Chihuahua, edam) Cacahuates Aguacate
Grasas transaturadas	Son las grasas que se obtienen del proceso de "hidrogenación", que consiste en agregar hidrógeno a los aceites vegetales, para producir una mayor durabilidad del producto. El problema con estas grasas es que finalmente dentro del organismo se convierten en grasas saturadas y tienen los mismos efectos que éstas.	Los productos industrializados.	Margarina en barra Mayonesa Productos horneados, como pan y galletas Comida "chatarra"

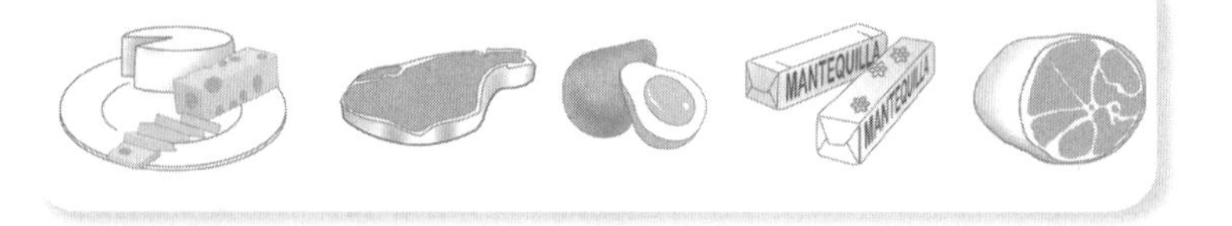

Tipo de grasas	*Definición*	*Generalmente se encuentran en*	*Ejemplos*
Grasas mono-saturadas	Este tipo de grasas no contienen tanto hidrógeno como las anteriores y se caracterizan por mantenerse líquidas a temperatura ambiente. Son las más recomendables por no incrementar el contenido de colesterol en la sangre.	Alimentos de origen vegetal.	Aceites de oliva y de canola

Grasas poliin-saturadas	Dichas grasas también contienen menos hidrógeno y, al igual que las grasas mono-insaturadas, son altamente recomendables para sustituir las grasas saturadas dentro de una dieta diaria (Rizza y Harrison, 2002).	Alimentos de origen vegetal.	Aceites de maíz, soya y semillas de girasol

La trascendencia del colesterol en la obesidad

El **nivel de colesterol** se refiere a la cantidad de grasa que tienen los alimentos, por lo que es necesario revisar en todos los productos dicho nivel para poder regular la ingesta diaria en los niños. El colesterol tiende a acumularse en las arterias del organismo, provocando enfermedades cardiovasculares, por lo que los médicos señalan que el nivel de colesterol no debe superar los 180 mg/dl (Porti, 2003).

Ahora bien, si el niño ya presenta un alto nivel de colesterol, las medidas que deben tomarse son: una dieta balanceada y realización de actividades físicas.

La tabla 7.2 presenta el nivel de colesterol de algunos alimentos por cada 100 g (Porti, 2003; Burniat, 2004).

Tabla 7.2. Nivel de colesterol de algunos alimentos.

Alimento (100 g)	*Miligramos de colesterol*
Aceite de maíz	0
Aceite de oliva	0
Almejas	31
Atún en lata	63
Calamar fresco	233
Camarón cocido	147
Carne de conejo	65
Carne magra de cerdo	62
Carne magra de ternera	68
Cereales y derivados	0
Frutas	0
Huevo	63
Jamón cocido magro	64
Langosta	200
Leche entera de vaca	14
Leche semidescremada	3
Lentejas	0
Mantequilla	250

Alimento (100 g)	*Miligramos de colesterol*
Muslo de pollo	88
Pechuga de pollo	67
Pescado	57
Queso añejo	105
Queso Chihuahua	105
Queso fresco	105
Queso manchego	95
Queso mozzarella	97
Queso Oaxaca	105
Queso panela	105
Queso parmesano	95
Queso pasteurizado tipo americano	94
Requesón	25
Verduras en general	0
Yoghurt descremado	8
Yoghurt entero	10

Vitaminas

A diferencia de los macronutrientes, las vitaminas y los minerales por sí mismos no son una fuente de energía (calorías). Su principal función radica en ayudar a liberar, utilizar y almacenar la energía que proveen los macronutrientes.

Definición y funciones principales

Las **vitaminas** son moléculas complejas que, además de ayudar a almacenar la energía de los macronutrientes, apoyan el sentido de la vista, sirven como hormonas reguladoras en la formación de huesos y actúan como antioxidantes para preservar las funciones celulares. Además, se utilizan tanto para curar como para prevenir enfermedades.

Las 14 vitaminas principales se dividen en dos grupos: las solubles en agua (C, tiamina, riboflavina, niacina, B_6 y B_{12}) y las solubles en grasas (A, D, E y K). Las primeras se eliminan a través de la orina y el sudor, por lo que deben consumirse diariamente. Las segundas son almacenadas dentro de las células grasas, de modo que el cuerpo no las necesita tanto como las primeras (Rizza y Harrison, 2002).

Ejemplos

Las vitaminas solubles en agua las encontramos en frutas cítricas, como naranja, toronja, limón y lima; en fresa, melón, jitomate, brócoli, espinaca y papa; y también en granos y carne.

Las vitaminas solubles en grasa las encontramos en huevo, hígado, aceite vegetal y cereal.

Minerales

Definición y funciones principales

Los **minerales** (calcio, fosfato, magnesio, hierro, zinc, yodo y selenio) son elementos que, al igual que las vitaminas, desempeñan un importante papel dentro del organismo.

Por ejemplo, el calcio y el fosfato son los principales componentes de huesos y dientes. Además, junto con el sodio, el potasio y el magnesio, el calcio sirve como regulador de las funciones de las células.

El sodio y el potasio son responsables de mantener un balance entre los fluidos que entran y salen de las células y, junto con el calcio, controlan el movimiento de los impulsos de los nervios.

El resto de los minerales los necesita el cuerpo en pequeñas cantidades, generalmente menos de 20 mg al día; entre éstos se encuentran: el hierro, el cromo, el cobalto, el cobre, el flúor, el yodo, el magnesio, el selenio y el zinc.

El hierro constituye una parte activa de la hemoglobina, que es la proteína que el cuerpo necesita para llevar oxígeno a diferentes partes del cuerpo y recoger el bióxido de carbono (Rizza y Harrison, 2002).

Ejemplos

El *calcio* lo encontramos en la leche y sus derivados; en el pescado, las espinacas, las acelgas y las verdolagas.

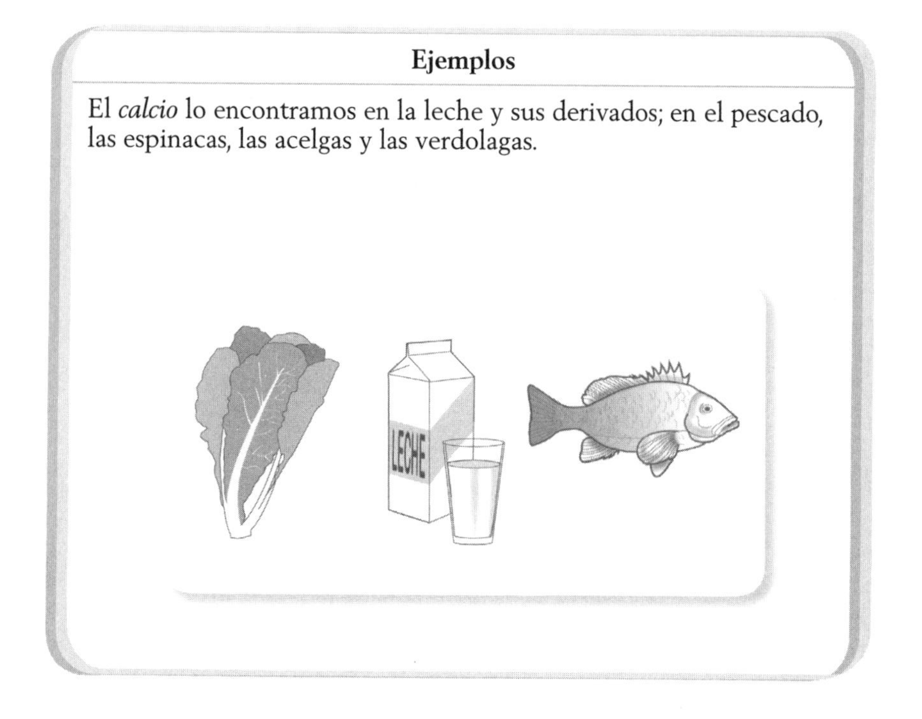

(*Continuación*)

El *cromo* se encuentra en la levadura de cerveza, el germen de trigo, el queso y los granos enteros.

El *cobre* se halla en el hígado, los productos del mar, las nueces, las semillas y el polvo de cacao.

El *flúor* se obtiene en el té y en el pescado con espinas.

El *yodo* se encuentra en la sal y en los productos del mar.

El *hierro* lo hallamos en la carne, en la yema de huevo y en las verduras de color verde oscuro, como espinacas, verdolagas y acelgas.

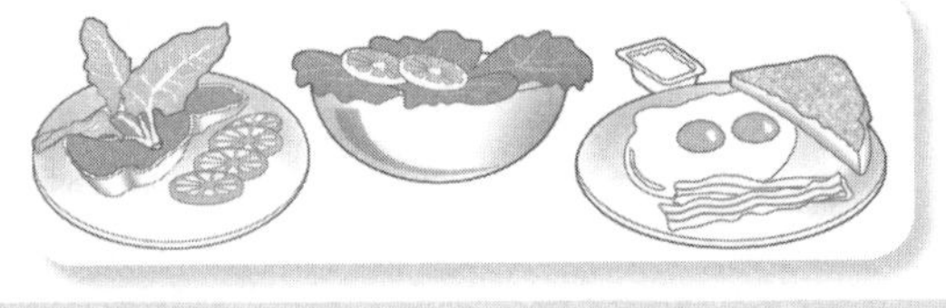

El *magnesio* se encuentra en las semillas, los granos enteros, el germen de trigo, los plátanos y las verduras de color verde.

El *fosfato* lo encontramos en los productos animales y en los vegetales con gran contenido vitamínico, además de los granos enteros.

El *selenio* se obtiene en los productos del mar, la carne, el hígado, el riñón, la cebolla y los granos.

El *zinc* se encuentra en la carne, el hígado, los huevos, los productos del mar y los granos enteros.

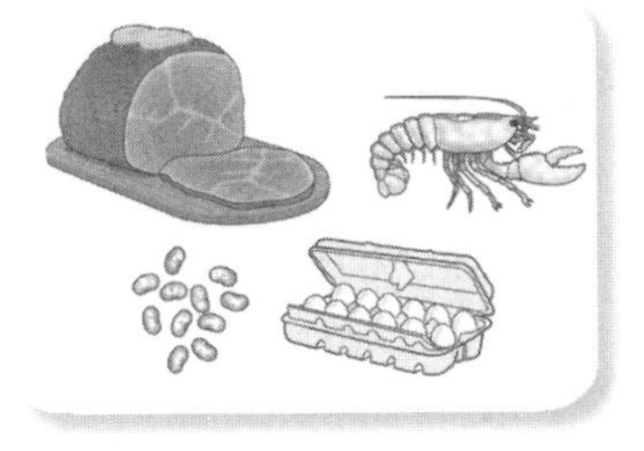

Vitaminas y minerales antioxidantes

Definición y funciones principales

Muchas vitaminas y minerales son considerados antioxidantes. Éstos incluyen las vitaminas E, C y el betacaroteno, que se convierte en vitamina A, y los minerales como el selenio, el cobre, el zinc y el manganeso.

Su función consiste en eliminar la sobreproducción de radicales libres de las células, ya que éstos pueden ocasionar daños tanto en los tejidos como en el ácido desoxirribonucleico (ADN). Además, los contaminantes ambientales, como el humo del cigarro y la luz ultravioleta del Sol, contribuyen a la formación de radicales libres en el cuerpo.

Algunos estudios indican que la sobreproducción de radicales libres puede incrementar el riesgo de cáncer, enfermedades del corazón, cataratas y otros tipos degenerativos de las células que están asociados con la edad (Rizza y Harrison, 2002).

Ejemplos

Con excepción de la vitamina E, pueden encontrarse en las verduras, las frutas y los granos.

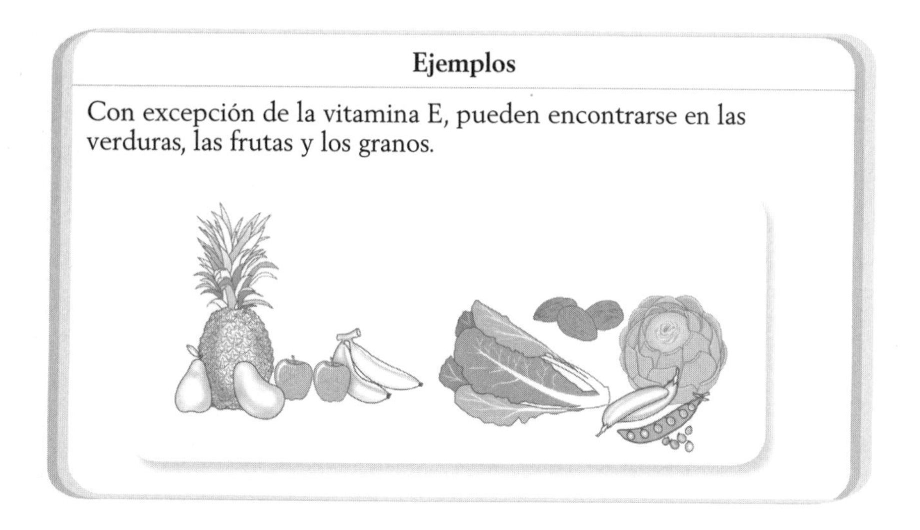

Agua

Definición y funciones principales

Como es sabido, 75 % de nuestro cuerpo es agua. El **agua** es un nutriente esencial que ayuda en la mayoría de los procesos que realiza el cuerpo. Entre sus principales funciones se encuentran conservar estable la temperatura del cuerpo, mantener los químicos y sus concentraciones apropiadas, transportar los nutrientes y el oxígeno a las células, y eliminar los desechos. Además, sirve para amortiguar las articulaciones y proteger órganos y tejidos (Rizza y Harrison, 2002).

Se recomiendan de seis a ocho vasos de agua diariamente, para un adulto. Además, hay frutas y verduras que son entre 80 y 90% agua, por lo que también contribuyen al consumo diario de agua; entre éstas se encuentran la jícama, la manzana, el durazno, la fresa, la toronja, la lima, el limón, el melón, la piña, el brócoli, la col y las zanahorias.

Guía de alimentación específica para disminuir el peso corporal

Puesto que cada niño o adolescente obeso requiere una dieta alimenticia para poder bajar al peso que sea acorde con su edad, sexo y estatura, se debe consultar a un especialista en salud, como un pediatra, un nutriólogo o un endocrinólogo, para que le haga su plan alimenticio personal. Ahora bien, en el caso de que no se cuente con un especialista de confianza, se recomienda usar el cuadro 7.2.

Cuadro 7.2. Recomendaciones para disminuir el peso corporal.

Sólo en pocas ocasiones permita el consumo de:
Azúcares: azúcar, caramelos, chocolates, fruta en almíbar o cristalizadas, helados, flan, miel, cajeta, mermeladas, merengue, piloncillos, refrescos, galletas, pastas, pan dulce, pasteles, avena, hojuelas de maíz, maicena. **Grasas:** aceite, mantequilla, crema, mayonesa, cacahuate, nuez, piñones, almendras, pepitas, mole, carnes grasosas (carnitas, tocino, chicharrón, longaniza), queso de puerco, sardinas en aceite.
Cantidades moderadas de:
Harinas: pan, tortilla, harina de soya. **Cereales:** arroz, frijol, habas, lentejas. **Lácteos:** queso fresco, requesón, leche fresca. **Carnes y mariscos:** carnes magras de res, carnero, ternera, pollo, gallina, pavo, pato, hígado, camarones, jaibas, sardinas en jitomate. **Verduras:** zanahorias, betabel, aguacate, cebolla, chiles poblanos, papas. **Frutas:** manzana, mango, ciruela, lima, mandarina, tuna, papaya, jícama, durazno, fresa, melón, naranja, piña, sandía.

Cuadro 7.2. (*Continuación.*)

Cantidades libres de:

Verduras: rábanos, pepinos, lechuga, acelgas, apio, berro, brócoli, calabacitas, cilantro, alcachofas, nopales, col, coliflor, espárragos, hongos, espinacas, chayote, ejote, flor de calabaza, huitlacoche, lechuga, perejil, pimiento morrón, romeritos, tomate verde, verdolagas, jitomate (jugo).
Sabores: vainilla, canela, etcétera.
Condimentos: salsas picantes, hierbas de olor, vinagre, chile serrano.
Caldos: de verdura o de carne sin grasa.
Gelatinas: bajas en calorías.
Bebidas: café, té, agua de limón, agua mineral.
Huevo: al gusto.

Guía de alimentación para una dieta saludable en la que no se necesite disminuir el peso corporal

Se recomiendan las siguientes porciones para cada grupo de alimentos:

Pirámide nutricional

- Grasas, aceites y azúcares: con moderación.
- Leche, yoghurt y queso: 2-3 porciones.
- Carne, aves, pescado, frijoles, huevos y frutos secos: 2-3 porciones
- Verduras 3-4 porciones.
- Frutas 2-3 porciones.
- Pan, cereal, arroz, pasta 6-9 porciones.

De acuerdo con la pirámide nutricional, en la tabla 7.3 se muestra un ejemplo de cómo deberá equilibrarse el menú diario, y la tabla 7.4 incluye la equivalencia de las porciones sugeridas (Rizza y Harrison, 2002).

Tabla 7.3. Sugerencias para una dieta balanceada en la que no se necesite bajar de peso.

Categorías	*Ejemplos*	*Porciones diarias recomendadas para niños de uno u otro sexo (de dos a 11 años), adolescentes del sexo femenino, y mujeres de edad media*	*Porciones diarias recomendadas para adolescentes del sexo masculino y hombres*
Calorías sugeridas al día		2200	2800
Granos	Pan, cereales, tortillas, galletas, pastas y arroz.	9 porciones	11 porciones
Frutas	Pueden ser frescas, en jugo o en lata.	3 porciones	4 porciones

Tabla 7.3. (*Continuación.*)

Categorías	*Ejemplos*	*Porciones diarias recomendadas para niños de uno u otro sexo (de dos a 11 años), adolescentes del sexo femenino, y mujeres de edad media*	*Porciones diarias recomendadas para adolescentes del sexo masculino y hombres*
Verduras	Ya sean frescas, cocinadas, en salsa o en jugo.	4 porciones	5 porciones

Categorías	*Ejemplos*	*Porciones diarias recomendadas para niños de uno u otro sexo (de dos a 11 años), adolescentes del sexo femenino, y mujeres de edad media*	*Porciones diarias recomendadas para adolescentes del sexo masculino y hombres*
Lácteos	Leche baja en calorías, yoghurt, y quesos bajos en grasas.	2-3 porciones	2-3 porciones

Categorías	*Ejemplos*	*Porciones diarias recomendadas para niños de uno u otro sexo (de dos a 11 años), adolescentes del sexo femenino, y mujeres de edad media*	*Porciones diarias recomendadas para adolescentes del sexo masculino y hombres*
Carne y otros alimentos altos en proteínas	Carne sin grasa, aves de corral (como pollo y pavo), pescado, huevo (tres o cuatro por semana), frijoles, chícharos, mantequilla de cacahuate, nueces y semillas.	2 porciones	3 porciones
Grasas, aceites y azúcares	Aceite para cocinar, mantequilla y azúcar.	73 g o menos	93 g o menos

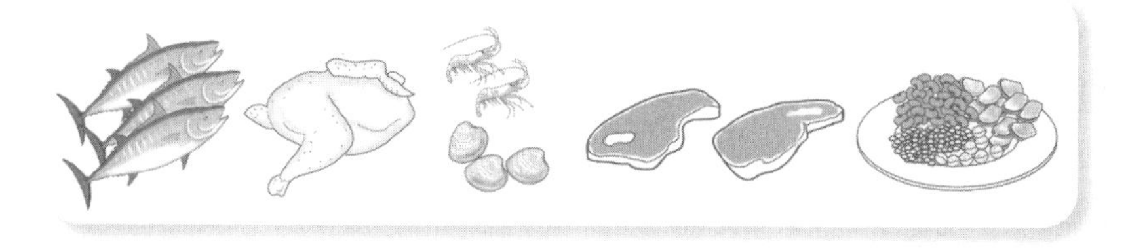

Tabla 7.4. Equivalencia de las porciones sugeridas.

Categorías	*Equivalencia por porción*
Granos	1 rebanada de pan 28 g de cereal (listo para servir) ½ taza de cereal cocinado, arroz o pasta

Tabla 7.4. (*Continuación.*)

Categorías	*Equivalencia por porción*
Frutas	1 manzana mediana (del tamaño de una pelota de tenis) Medio plátano ½ taza de fruta picada, enlatada o cocida ¾ de taza de jugo de fruta

Verduras	1 taza de verdura cruda de la que está en hojas (espinaca, lechuga, col, etc.) ½ taza de verduras en trocitos (cruda o cocida) ¾ de taza de jugo de verduras

Lácteos (bajos en calorías)	1 taza de leche o yoghurt 42 g de queso fresco (lo que equivale a dos fichas de dominó o a un par de dados) 56 g de queso procesado bajo en calorías

Categorías	*Equivalencia por porción*
Carne	56 a 84 g de carne sin grasa, aves de corral (como pollo y pavo) o pescado (más o menos del tamaño de la palma de una mano) Lo siguiente es equivalente a 28 g de carne: ½ taza de frijoles o leguminosas (habas, lentejas) 1 huevo (tres o cuatro por semana) 2 cucharadas soperas de mantequilla de cacahuate 1/3 de taza de nueces

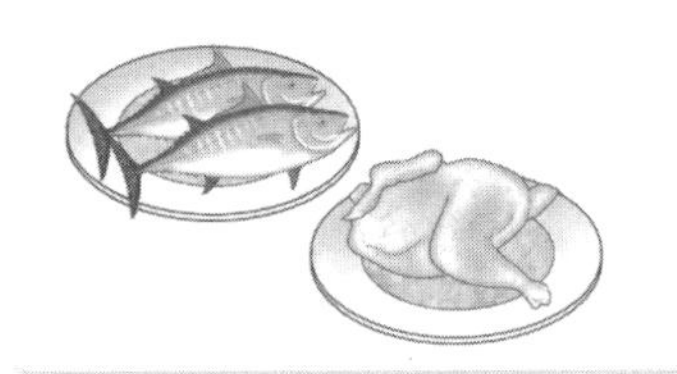

Grasas, aceites y azúcares	Este tipo de comida es alto en calorías y bajo en nutrientes, por lo que sólo se recomienda ingerirla ocasionalmente.

NOTA: Cada equivalencia es una porción, multiplíquela por el número de porciones indicadas en la tabla 7.3 de acuerdo con la edad de su hijo.

Calorías

En nutrición se emplea la **kilocaloría**. En termodinámica (de donde proviene esta unidad), la **caloría** es definida como la cantidad de energía requerida para elevar 1 °C la temperatura de 1 g de agua. En el caso del cuerpo humano, gran consumidor de energía, se utilizan valores grandes y, por eso, se aplican kilocalorías (muchas veces mal llamadas calorías).

Las calorías son utilizadas por el cuerpo para mantener la actividad muscular, para llevar a cabo las reacciones metabólicas del organismo, para mantener la temperatura del mismo y para apoyar el crecimiento. Pero cuando se consumen más calorías de las que el cuerpo gasta, uno sube de peso, mientras que el peso se mantiene cuando se equilibran las calorías consumidas con las calorías gastadas (Rizza y Harrison, 2002).

Recomendaciones generales

En las tablas 7.5 a 7.9 se incluyen recomendaciones para lograr un equilibrio de calorías en diferentes situaciones y, de esta forma, mantener el peso del niño o del adolescente, pero no para bajar de peso.

Tabla 7.5. Desayunos fuera de casa.

Se debe elegir			En lugar de		
	Calorías	*Grasas* (g)		*Calorías*	*Grasas* (g)
Pan tostado (dos rebanadas)	150	2	Dona	250	12
Pan tostado (dos rebanadas)	150	2	Cuernito	230	12
Pan dulce sin azúcar en la parte de arriba	100	1	Pan dulce con azúcar en la parte de arriba	350	15
Cereal integral (media taza)	160	2	Granola (media taza)	250	10
Un *hot cake* delgado	74	1	Papas fritas (media taza)	170	9
La clara del huevo	30	0	Huevos revueltos	100	7

Tabla 7.6. Alimentos con alrededor de 100 calorías para consumir entre comidas.

Frutas	*Verduras*	*Granos*	*Lácteos*
1 naranja grande 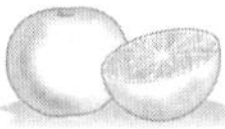	Hasta dos tazas de las siguientes verduras crudas: zanahoria o apio 	1 rebanada de pan integral 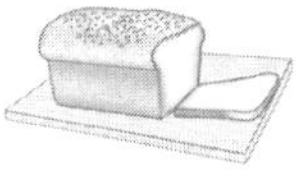	½ taza de queso cottage bajo en calorías 
1 manzana o pera mediana 		4 galletas integrales 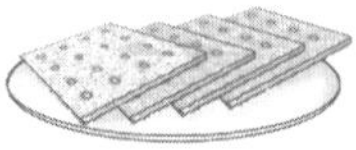	1 taza de yoghurt sin grasa 
1 plátano pequeño 	brócoli y coliflor 	4 tazas de palomitas 	1 taza de leche baja en grasa 
2 ciruelas medianas 	hongos 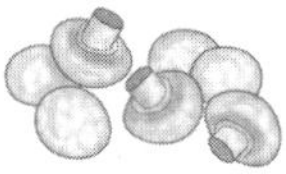		
24 uvas 	rábanos 	¾ de taza de cereal bajo en grasa, sin azúcar 	
2 tazas de jícama rallada 	jitomate 		

Tabla 7.7. Grasas y calorías de los componentes de un sándwich o torta.

	Ración	*Calorías*	*Grasas* (g)
Tipo de pan:			
Pan de caja integral	1 rebanada	70	1
Bolillo	1 pequeño	70	1
Ingredientes:			
Cebolla, lechuga, jitomate	2-5 piezas (rebanadas)	10	0
Pollo o pavo	57 g	60	1
Atún en agua	57 g	66	----
Jamón	57 g (2 rebanadas delgadas)	75	2
Mortadela	57 g (2 rebanadas delgadas)	180	16
Crema de cacahuate	2 cucharadas soperas	190	16
Salami	57 g	220	16
Aderezos:			
Mayonesa baja en calorías	1 cuchara sopera	50	0
Mayonesa	1 cuchara sopera	100	11
Mostaza	1 cuchara sopera	10	0
Catsup	1 cuchara sopera	15	0
Queso crema bajo en grasa	1 cuchara sopera	15	0
Queso crema	1 cuchara sopera	50	5
Margarina baja en grasa	1 cuchara sopera	50	6
Margarina	1 cuchara sopera	100	11
Mantequilla	1 cuchara sopera	100	12

Tabla 7.8. Ensaladas

	Calorías	*Grasa* (g)	*Sodio* (mg)
Lo básico			
2 tazas de verdura mixta	20	0	10
¼ de taza de brócoli, hongos y pimiento verde	6	0	0-6
2 cucharadas soperas de zanahoria rallada	2	0	2
1 cucharada sopera de cebolla	---	0	0
¼ de jitomate	5	0	2
Extras (no abuse de éstos)			
1 taza de queso cottage bajo en grasa	80	0	370
2 cucharadas soperas de *crotones* (pan en trocitos)	30	1	40
1 huevo duro	80	6	60
2 cucharadas soperas de garbanzos	35	1	2
5 aceitunas grandes	25	3	200
½ taza de ensaladas de pasta	200	15	560
½ taza de ensalada de papa	180	10	660
Aderezos (2 cucharadas soperas)			
Francesa, italiana, ranchera	140-180	14-20	325-440
Francesa, italiana, ranchera, bajas en calorías	50-100	0-8	250-300
Jugo de limón	8	0	0

Recomendaciones para las ensaladas:

- Utilice fruta y verdura frescas no enlatadas.
- Utilice con moderación los "extras", que pueden añadir calorías, grasas y sodio no deseados.
- Coloque los aderezos a un lado y no sobre la ensalada.

Tabla 7.9. Dieta mexicana poco saludable.

Alimento	*Número de calorías*
Tortilla de maíz	70
Tortilla de harina de trigo	104
Tamal de dulce, de salsa roja, de salsa verde o de mole	240
Taco mediano	70 + relleno
Taco grande	70 + relleno
Enchiladas (tres tortillas)	396
Burritos	392
Quesadilla con queso asadero (manchego, gouda)	240
Quesadilla con queso panela	75
Merengue	378

EL EJERCICIO FÍSICO COMO COADYUVANTE EN LA DIETA PARA BAJAR DE PESO

En general, todos los programas de actividades físicas para los niños obesos se apoyan en los siguientes puntos:

a) Una frecuencia de entre tres a cinco veces por semana.
b) Una duración inicial de unos 15 minutos para llegar paulatinamente hasta los 30 a 40 minutos.
c) Una intensidad que no sobrepase entre 50 y 69% de la frecuencia cardiaca máxima.

Por otra parte, en cuanto al tipo de ejercicio, deben ejercitarse fundamentalmente los llamados músculos largos, para lo cual las actividades serán: caminar, trotar, correr, nadar y andar en bicicleta (Porti, 2003).

Se promoverán todo tipo de actividades físicas relacionadas con la vida cotidiana del niño obeso, como bajar y subir escaleras en lugar de usar el ascensor, ir y volver a la escuela caminando, y moverse en bicicleta en lugar del automóvil o el transporte público.

Asimismo, deben reducirse al máximo todas las actividades pasivas, como ver televisión, jugar con la computadora, dormir la siesta, sentarse en un sillón después de comer, etcétera.

El cuadro 7.3 ejemplifica el tipo de ejercicio que debe realizar un niño de acuerdo con el grado de obesidad que presente (Calzada, 1993).

Cuadro 7.3. Ejercicios recomendados para niños con sobrepeso y obesidad.

Sobrepeso	*Ejercicio recomendado*
Niños con sobrepeso (menor a 150% de su peso ideal)	Actividad aeróbica, caminata, subir escaleras, futbol, tenis, saltar cuerda, natación, baile y deportes de gimnasio.
Niños obesos (de 150 a 200% de su peso ideal)	Natación, ciclismo, baile y caminata con intervalos frecuentes de descanso.
Niños con obesidad grave (mayor a 200% de su peso ideal)	Natación, ejercicios aeróbicos sentados y bicicleta.

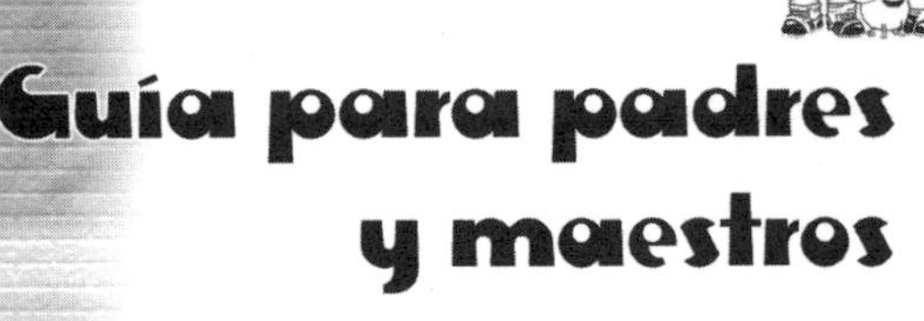

8 Guía para padres y maestros

Introducción

Es necesario enfatizar que el tratamiento para la obesidad infantil debe tener un enfoque interdisciplinario, puesto que no se trata solamente de dar una dieta ni de modificar los hábitos alimenticios, sino que también implica el apoyo familiar de todos los miembros de la familia. Éstos deben comprometerse a poner en práctica las habilidades que se describirán en este libro y se les enseñarán para llevar un control adecuado del ambiente y para ayudar al niño o adolescente en el esfuerzo de reducir su peso.

Asimismo, se requerirá un grupo de profesionistas, especialistas en la materia, con los cuales el paciente deberá trabajar en forma individual o grupal. Inicialmente debe ser examinado por el médico general, el médico familiar o el pediatra, para que determine, según el grado de obesidad, si existen problemas médicos (ortopédicos, cardiacos, etc.) que deban ser tomados en cuenta para enviarlo al especialista indicado. Por ejemplo, el nutriólogo, de acuerdo con las características del paciente, diseñará una dieta alimenticia acorde con las necesidades y con la edad de éste.

El niño o adolescente deberá seguir un programa de ejercicio físico preferiblemente bajo supervisión, incluso en los deportes que sean de su agrado.

Es igualmente importante el apoyo psicológico profesional, para explorar y hacer las modificaciones necesarias de actitud, con objeto de mejorar la autoestima y la imagen corporal, lo cual motivará al niño o adolescente a cumplir el programa.

En este capítulo se darán algunas recomendaciones para el manejo de la obesidad, tanto para padres como para maestros.

RECOMENDACIONES GENERALES PARA LOS PADRES DE NIÑOS CON SOBREPESO

No imponga a su hijo una dieta extremadamente restringida. De ninguna manera, debe someter al niño o adolescente a una dieta, a menos de que ésta sea recomendada y supervisada por un médico. Como ya hemos comentado, el limitar *excesivamente* la comida puede dañar tanto el desarrollo del niño como las relaciones interpersonales dentro de la familia.

Los padres deberán ofrecer a toda la familia la variedad de alimentos que se encuentran dentro de la pirámide nutricional, incluyendo cada uno de los grupos alimenticios sugeridos en el capítulo 7.

Disminuya con cuidado la cantidad de grasa en los alimentos de toda la familia. El disminuir la cantidad de grasa de la comida es una buena medida para reducir el número de calorías, sin quitar los nutrientes de la dieta alimenticia del niño con sobrepeso. Acciones tan simples como el utilizar productos bajos en calorías, el comer pollo sin piel y carne sin grasa, y el consumir pan y cereales sin grasa ni azúcar ayudarán a dicha disminución.

Asimismo, debe aclararse que a los niños menores de dos años no se les deberán restringir las grasas dentro de su alimentación. Después de dicha edad, los niños deberán adoptar gradualmente una dieta que contenga no más de 30% de grasas diarias, hasta llegar a la edad de cinco años (véase cap. 7).

No reduzca demasiado los alimentos dulces, las grasas o con contenido calórico alto. A pesar de que es importante estar al pendiente de la cantidad de sal, grasa y azúcar que contienen los alimentos, todas las comidas, incluso las que incluyen un mayor número de grasas y azúcares, tienen lugar en la dieta del niño, pero deben incluirse *con moderación*.

Más bien, debe tratarse de reducir las cantidades o modificar la presentación; por ejemplo, en un restaurante de hamburguesas, comer la hamburguesa con un solo pan, seleccionar la de pollo en lugar de la de carne, pedir una bolsa pequeña de papas fritas en vez de una grande y, en cuanto a los aderezos, es preferible utilizar limón y algunos condimentos (para mayor información, véase cap. 7).

Guíe las elecciones de la familia en lugar de imponerlas. En casa, prepare una gran variedad de platillos "saludables"; esto puede hacerse verificando la cantidad de grasa y carbohidratos que contienen los productos etiquetados. Asimismo, revise que las raciones que brinda sean las apropiadas para la edad de su hijo. Todo lo anterior hará que los niños seleccionen lo que más les guste dentro de dicho menú, y también, aprenderán a discriminar lo que es de su agrado.

Motive al niño para que coma despacio. Un niño puede detectar el hambre y la saciedad (es decir, cuando está "lleno") de mejor manera cuando come despacio. Para ello, debe masticar despacio y no tomar el siguiente bocado hasta no haber terminado el anterior. Asimismo, deben establecerse pausas entre platillo y platillo; de esta forma se dará tiempo a que el alimento descienda hacia el estómago, con lo cual los nervios que rodean al estómago mandarán mensajes de saciedad al cerebro y el niño se sentirá satisfecho con una porción menor de alimento.

En la medida de lo posible, las comidas deben ser en compañía de toda la familia dentro de un ambiente de cordialidad. Hable con los demás miembros de la familia y solidarícense con el niño que trata de bajar de peso. Trate de hacer placentera la hora de la comida, conversando agradablemente y compartiendo experiencias; no discuta ni tampoco haga reproches. Si la hora de la comida es poco agradable, los niños tratarán de comer rápidamente o comer menos para levantarse de la mesa lo más pronto posible, y en determinados casos, asociarán la comida con el estrés.

Involucre a los niños en las compras y en la preparación de la comida. Estas actividades ofrecen a los padres señales sobre las preferencias de sus hijos, y así pueden enseñarles a elegir menús que sean agradables al gusto y que incluyan cantidades adecuadas de nutrientes. Además, los niños estarán más motivados a probar comidas que ellos mismos han ayudado a elegir y preparar. Por último, se recomienda que para ir de compras, lleve una lista, ya que esto ayudará a que se adquiera sólo lo que se necesite y no lo que se les "antoje" al momento.

Planee los tentempiés.[1] El comer entre comidas puede propiciar sobrepeso en los niños. Pero si estos tentempiés son planeados con anticipación, pueden formar parte de una dieta nutritiva, sin estropear el apetito del niño a la hora de la comida.

Dichos tentempiés deben ser "nutritivos", es decir, deben contener mayor cantidad de agua y fibra que calorías, lo cual da una sensa-

[1]Tentempiés: Son los alimentos que se comen entre una comida y otra.

ción de saciedad. Además, pueden comerse en mayor cantidad (como zanahorias, jícamas y pepinos rallados, acompañados de sal y limón) sin privar al niño de galletas y papas fritas; éstas sí pueden comerse pero *ocasionalmente*, sobre todo en las fiestas o en los eventos sociales, siempre y cuando se intercambien por una cantidad similar de alimentos de su menú, como una galleta sin cobertura por media tortilla o rebanada de pan, una rebanada de pizza por dos tacos, media torta o media ración de guisado con tortilla.

Sirva los alimentos desde la cocina y en un solo plato. Los platillos deberán servirse desde la cocina en el plato del niño. Cuando la hora de la comida finalice, deberá recogerse todo, ya que el servir la comida en diferentes platones en la mesa para que cada quien se sirva da la oportunidad de tener al alcance o a la vista toda la comida, lo cual provocará el deseo de seguirse sirviendo y comiendo.

No permita comer frente al televisor. Se debe comer exclusivamente en las áreas asignadas de la casa, que son el comedor o la cocina, ya que, como hemos visto, el comer en frente del televisor hará que se pierda la atención a la sensación de saciedad, lo cual provocará que el niño coma más rápido, en mayor cantidad y por más tiempo, y esto producirá sobrepeso.

No utilice la comida para castigar o para premiar a su hijo. El retener o el quitar la comida como una forma de castigo puede propiciar que el niño se preocupe por llegar a tener hambre. Por ejemplo, mandar al niño a dormir sin haber cenado, en principio altera sus horarios de alimentación y además sólo castiga a su estómago y provoca que el niño se preocupe de que tendrá hambre, lo cual lo inducirá a comer cuando se pueda. Por lo común, dicho castigo no evita que el niño repita la conducta inadecuada, y puede provocar que el niño convierta "la comida" en un recurso para llamar la atención de los padres de manera incorrecta, provocando discusiones a la hora de la comida.

De igual forma, cuando los dulces se utilizan como premios, los niños asumen que este tipo de comida es mejor o que tiene un valor especial en comparación con otros. Por ejemplo, al decirle al niño: "si te comes las verduras, te daré postre", se le manda un mensaje erróneo sobre las verduras, puesto que en realidad se le está diciendo que éstas son malas y por eso debe premiársele con un dulce cuando se las come; además, si el dulce que se le ofrece no es lo suficientemente agradable para el niño, a los pocos intentos el niño ya no hará caso a la propuesta.

Si se está tratando de cambiar de hábitos alimenticios, no es recomendable que ciertos alimentos se condicionen a través de otros de alto contenido calórico. Aquí es mejor motivar al niño por medio de demostraciones de afecto, como abrazos y frases como: "¿Te das cuenta que te duele menos tu pancita y que estás más alegre y activo desde que comes más verdura? ¡Y eso lo has logrado tú!"

Asegúrese de que la comida fuera de casa sea balanceada. Investigue sobre el tipo de comidas que reciben sus hijos a la hora del recreo; procure que sean alimentos variados y nutritivos. Si no es así, mande el almuerzo y restrinja la cantidad de dinero del que dispone su hijo para gastar en comida.

Igualmente es probable que, por las actividades que realizan los niños y los adolescentes entre semana, se les dificulte el estar en casa a la hora de la comida, por lo que otra opción viable es que lleven su comida preparada en casa al lugar en donde se encontrarán a la hora de sus alimentos.

Además, cuando coman en restaurantes, elija los alimentos más saludables del menú y de menor valor calórico. Hecho que es importante para que el niño aprenda a ordenar.

Incremente de manera gradual la actividad física del niño. En general, el niño obeso se encuentra muy preocupado por tener que participar en deportes y actividades grupales, puesto que la presión social también desempeña un papel negativo en él, sobre todo por las actitudes de rechazo que recibe.

Por ello se recomienda que se involucre al niño en actividades físicas individuales, que sean de su agrado, y sin importar que al principio cambie de una disciplina a otra, como caminatas, ejercicios físicos al aire libre, natación, etcétera.

Posteriormente, deberá desarrollarse la coordinación visomotora gruesa a través de ejercicios como giros, cachar y aventar pelotas, además de actividades de gimnasio. Lo importante es que se vaya familia-

rizando con la importancia y finalidad de la actividad física y la perciba como parte de su vida y no como algo negativo o un castigo, por el hecho de que es obeso.

Por supuesto, la supervisión y la participación de los padres resultan esenciales, dado que el progenitor no puede decirle al niño en temporada de eventos deportivos especiales: "Oye, vete a jugar al parque", mientras él está viendo a su equipo preferido en la televisión.

Cabe mencionar que en la medida en que el niño vaya obteniendo mejores resultados en dicha área, su autoestima mejorará, no sólo por el hecho de bajar de peso, sino por la aceptación social que obtendrá al encontrarse atléticamente apto para realizar actividades deportivas de cualquier índole.

Como se ha visto, el involucrar al niño obeso en el deporte provocará que obtenga ganancias secundarias a la reducción de peso, ya que mejorará tanto física como socialmente, y como resultado cambiará su actitud hacia dichas actividades.

Sea un buen ejemplo. El niño aprende a través de la observación de sus padres, así que usted debe comer diferentes tipos de alimentos y hacer ejercicio. De esta manera, motivará al niño a seguir el mismo camino.

En la escuela

Guía de alimentos

La escuela debe proporcionar a los padres una guía de alimentos sugeridos para el almuerzo, poniendo en práctica la "técnica del semáforo" (Burniat, 2004).

En dicha técnica se dibuja en una hoja de papel un semáforo y al lado del círculo rojo se indican los alimentos que, por su alto contenido de grasas y azúcares, deben consumirse en muy pocas cantidades y ocasiones, como la comida "chatarra": papas fritas, caramelos, pastelitos de chocolate y otras golosinas. Al lado del círculo amarillo se incluyen los alimentos que deben consumirse con moderación, como los cereales y las pastas en sus diferentes presentaciones: pan, tortilla y harina de soya. Por último, a un lado del círculo verde se listan los alimentos que pueden comerse en cantidades mayores, aquellos altos en vitaminas y proteínas, como las verduras y las frutas (para mayor información al respecto, véase cap. 7).

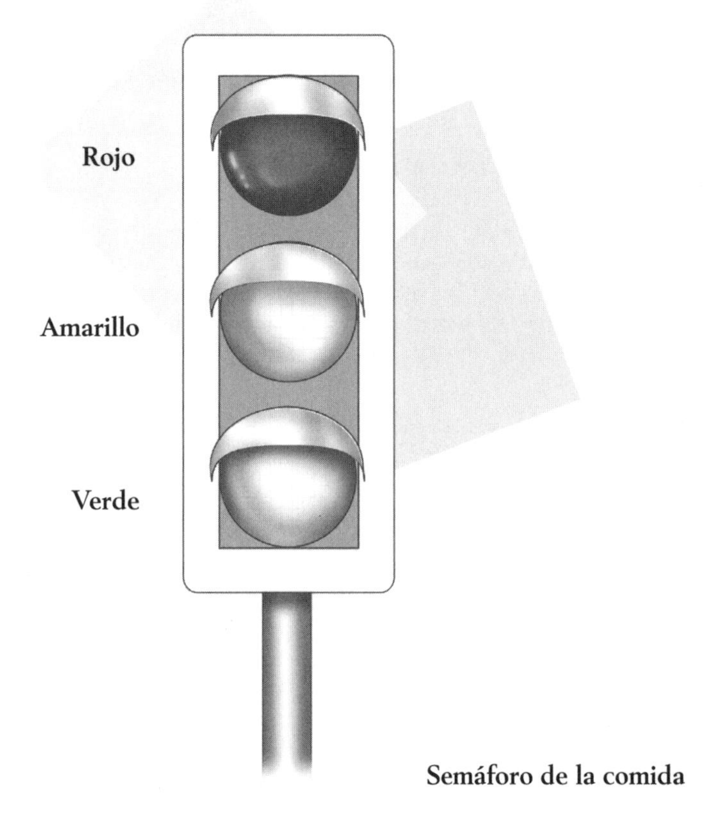

Semáforo de la comida

***Rojo**: Alimentos altos en grasas y azúcares, como papas fritas, caramelos, pastelitos de chocolate y otras golosinas (se recomienda consumirse muy ocasionalmente).*
***Amarillo**: Cereales y pastas, como pan, tortilla y harina de soya (deben consumirse con moderacion).*
***Verde**: Alimentos altos en vitaminas y proteínas, como las verduras y las frutas (pueden consumirse libremente)(Burniat, 2004).*

Cabe mencionar que dicho semáforo puede ser colocado en alguna de las paredes del salón de clase o en el refrigerador de la casa “al alcance de la vista”, donde el maestro o el niño (o la madre en casa) puedan consultarlo cada vez que así lo requieran.

Con todo esto, tanto los maestros como los padres se harán responsables de la educación de los hábitos alimenticios de los niños, y también los niños se acostumbrarán a revisar periódicamente el listado, lo cual les permitirá aprender a comer en forma adecuada.

Programa específico para el almuerzo

En las escuelas de preescolar donde se ofrece el almuerzo a los niños se recomienda que tengan un menú específico para cada día de la semana. Cuando las amas de casa proporcionen los alimentos a sus hijos, las escuelas también podrán sugerir dicho menú de la siguiente forma:

Lunes	Martes	Miércoles	Jueves	Viernes
Fruta picada o rebanada	*Verdura, de preferencia cruda, ya sea rallada o picada*	*Lácteos*	*Embutidos, de preferencia de pavo y no de cerdo*	*Libre, con base en la técnica del semáforo*
Manzana Pera Naranja Papaya Mandarina Melón Piña Sandía	Zanahoria Jícama Pepino Jitomate Apio	Bebida láctea fermentada Yoghurt Leche de soya saborizada Gelatina de leche Queso	Jamón y mortadela en rollitos Salchichas en diferentes presentaciones; a la mexicana, con huevo, o solas	Libremente la verde, con medida la amarilla, y con menor frecuencia la roja.

Estos alimentos pueden ser acompañados de:

- Agua sola o de frutas.
- Jugo de fruta, de preferencia natural.
- Una porción pequeña de chile piquín, sal y limón.
- Un paquete de cuatro galletas saladas o una rebanada de pan integral y muy ocasionalmente galletas dulces.

Actividad física y recreativa

Las clases de educación física deberán ser divertidas, con juegos y/o competencias de carreras en las que se tenga que saltar y/o librar obstáculos; también pueden ser de relevos, en su modalidad individual o por equipos. Esto motivará al niño a esforzarse para lograr su objetivo, "ganar", y al mismo tiempo, disfrutar de un rato agradable con sus compañeros de clase, desarrollando habilidades de coordinación visomotora gruesa. Asimismo, gastará las calorías necesarias y desarrollará la musculatura.

Los maestros como educadores

Los maestros pueden incluir en su programa por lo menos una clase específica de nutrición al bimestre, para enseñar a los niños de forma atractiva los diferentes tipos de alimentos, realizando experimentos que tengan como referencia la técnica del semáforo.

Los maestros como supervisores

De acuerdo con los padres, los maestros pueden supervisar las elecciones del niño obeso durante la hora del almuerzo, además de sugerirle cambiar algunos alimentos "chatarra" por otros más saludables. Si el maestro comienza a notar cambios favorables en la disminución de peso del niño, debe hacérselo notar reforzándolo con muestras de afecto.

9 Tratamiento psicológico de la obesidad en niños y adolescentes

Tipos de terapia

Después de determinar las causas de la obesidad del paciente (véase cap. 2), el **psicólogo** podrá instaurar el tratamiento más adecuado para el niño:

- **Terapia individual.** Puede ser utilizada en conjunto con otras modalidades. Se reserva para los niños que lleven un largo tiempo siendo obesos, después de haber probado diversos tipos de dieta con malos resultados, o cuando se trata de una obesidad que sobrepasa 35 % de su peso normal.
- **Terapia grupal.** Es muy efectiva, sobre todo si se lleva a cabo con grupos de padres y de niños por separado; esto permite identificar en grupo tanto los problemas que se encuentran relacionados con la obesidad como los sentimientos que se dan durante este periodo de cambio.
- **Terapia familiar.** Es útil también para ayudar al manejo de la obesidad, ya que toma en cuenta a toda la familia. Este tratamiento se enfoca en los hábitos alimenticios y en los patrones que los padres siguen para alimentar a sus hijos, dirigiéndose a las áreas de conflicto dentro de la familia, como por ejemplo, cuando el niño obeso ha sido señalado como "el chivo expiatorio" en quien se deposita la hostilidad familiar (Blackburn y Greenberg, 1980).

Aspectos para involucrar a la familia en el tratamiento

Tanto los niños como los padres deben ser orientados por el psicólogo sobre los aspectos y las teorías que se aplicarán en el programa sugerido para bajar de peso. Es necesario que la familia entienda muy bien el tratamiento para poder cooperar ampliamente en el entrenamiento dentro de la casa.

La orientación conductual supone que el comportamiento está conformado por una cadena compleja de conductas, las cuales son aprendidas a través de los condicionamientos de respuestas. Por ejemplo, cuando una persona tiene hambre, generalmente responde comiendo. Esto provoca que el hambre cese, y con ello se establece un reforzamiento de dicha conducta. Por ello, la siguiente vez que se tenga hambre o que dicho estímulo se presente, la respuesta al estímulo será la misma, es decir, "comer" (Brownell y Stunkard, 1980).

Mucha gente tiene más de un estímulo discriminativo para comer, ya que se involucran diversos estados emocionales, como el enojo, la ansiedad, la depresión, el aburrimiento, la soledad y la frustración, los cuales pueden influir en las sensaciones de hambre y saciedad.

Uno de los propósitos del tratamiento consiste en descubrir las razones por las que el niño o el adolescente está comiendo en exceso, con la finalidad de que éste aprenda hábitos de alimentación adecuados. Otro propósito es diferenciar "cuándo tiene hambre verdadera" o "cuándo está involucrando sus sentimientos", y remarcarle la respuesta que debe tener en dichas situaciones, es decir, al niño se le enseña a dirigir esos sentimientos hacia otras conductas más adecuadas que no sean el comer, o el comer sólo lo necesario y realizar actividades que le ayuden a regular el hambre, con el objeto de controlar su peso corporal.

El psicólogo debe conocer los estímulos situacionales y establecer un lugar específico para tomar los alimentos, ya que muchos niños comen indistintamente en la recámara, en la sala frente al televisor, en el comedor o en la cocina, y no aprenden a respetar los lugares adecuados para asociar su hambre con un lugar específico. Así, se evitará que la televisión o la recámara se transformen en el "centro de la comida".

Del mismo modo, debe aprenderse a discriminar los estímulos del comer por medio de un **autorreporte**, cuyo formato se encuentra más adelante.

Por último, el niño o el adolescente que reciba psicoterapia debe hacerlo no sólo para motivarle a bajar de peso, sino también para ayudarle a solucionar los conflictos emocionales que promueven el sobrepeso o que se suscitan durante el tiempo que esté bajando de peso, dado que se presentarán diversas movilizaciones internas de esos conflictos.

Tratamiento cognitivo conductual

Esta terapia se basa en el principio de que las emociones del ser humano, su personalidad, su pensamiento y su lenguaje están determinados por los principios del aprendizaje. Este tipo de tratamiento debe ser llevado a cabo por un psicólogo especialista (Berinstain y Szydlo, 1998).

El **aprendizaje** se define como cualquier cambio relativamente permanente en la conducta, y es resultado de experiencias pasadas; los problemas emocionales son el resultado de un aprendizaje maladaptativo, y la terapia cognitiva ayuda al paciente a reaprender dichas conductas erróneas.

Por lo anterior, para el problema de obesidad se ha sugerido este tipo de terapia con el propósito de que el niño o el adolescente reaprendan tanto a saciar su hambre como a aplicar nuevas formas de alimentación.

El aprendizaje de nuevas conductas debe ser el objetivo de todo programa de pérdida de peso; y es a través de los principios científicos de la psicología cognitivo-conductual que se ponen en práctica diversos modelos para lograr un reaprendizaje en el sujeto y, con ello, el cambio de conducta.

Consideraciones importantes del tratamiento

Al establecer el contrato terapéutico, el terapeuta requiere comentar con el paciente y los padres las siguientes consideraciones básicas:

a) La duración del tratamiento varía entre seis y 18 meses.
b) Los niños o adolescentes deben reunirse con el terapeuta una vez por semana (una hora). En dicha sesión se revisará el cumplimiento de las tareas conductuales asignadas y se proseguirá con la ejecución, el moldeamiento, el reforzamiento o la extinción de las conductas o cogniciones pertinentes. Al término de la sesión, se acordarán otras tareas para casa.

NOTA: Cada vez que el niño asista con el terapeuta, debe ser medido y pesado por el facilitador, ya sea nutriólogo, enfermera o ayudante, quien anotará los cambios de peso en su expediente y, según el caso, tratará de descubrir las causas por las cuales el niño no está bajando de peso y lo guiará asertivamente.

c) Los padres deben acudir una vez por semana a su sesión (una hora o una hora y media). Las sesiones pueden dividirse en dos partes: la primera parte consistirá en una plática general sobre aspectos nutricionales con el objeto de resolver dudas con respecto al programa, y la segunda parte consistirá en la reunión con el terapeuta, con quien se trabajarán las movilizaciones emocionales que se presenten.
d) Además, las parejas padres-hijos se reunirán una vez al mes con el terapeuta, y en dicha sesión se ejecutarán o modificarán las conductas que son el objetivo de la sesión (Laurel, Watters y Elliot, 2001).

Por último, en la medida de lo posible, se deberán programar pláticas con especialistas médicos, enfermeras entrenadas en técnicas de educación para la salud, nutriólogos o incluso psicólogos de la salud, quienes hablarán de las dificultades médicas que conlleva la obesidad, como: problemas ortopédicos, endocrinos, cardiovasculares, emocionales, etc. Dichas pláticas son de gran valor, ya que ayudan a los padres a comprender de forma más completa el problema de salud de su(s) hijo(s).

Objetivos del programa cognitivo conductual

1. Lograr un cambio de actitud del niño con respecto a la obesidad, lo que le hará ver las consecuencias negativas de su enfermedad.

También es necesario hacerle ver las ganancias que obtendrá al bajar de peso y los esfuerzos que deberá hacer para lograrlo.

2. Enseñar al niño cuáles son los hábitos adecuados de alimentación.

3. Enseñar al niño lo que debe hacer para lograr un balance negativo en su alimentación y de esta forma comenzar a bajar de peso.

4. Colocar metas alcanzables, en las que debe establecerse un tiempo específico para bajar un determinado número de kilogramos.

5. Realizar contratos por escrito en los que el niño, el padre y el terapeuta establezcan ciertos acuerdos que motivarán al niño a esforzarse y a lograr la meta planteada.

6. Utilizar autorreportes, que serán llenados por el niño bajo la supervisión y la ayuda de los padres, con el propósito de que el niño se dé cuenta de la cantidad de comida que consume, el lugar donde la ingiere, con quiénes come y los sentimientos que asocia en ese momento, para posteriormente trabajarlos dentro de la sesión terapéutica.

7. Promoción de hábitos alimenticios saludables, como cortar la comida en porciones más pequeñas, aumentar el número de bocados, dejar los cubiertos en la mesa entre bocado y bocado, marcar las horas de inicio y de fin, no ver la televisión, ni leer ni escuchar la radio mientras se come, y no levantarse de la mesa hasta no haber terminado de ingerir los alimentos.

8. Involucrar al niño en otras actividades cuando haya avanzado en su tratamiento; por ejemplo: realizar algún deporte extra o alguna actividad artística recreativa y placentera.

9. Enseñar al niño habilidades para que pueda discernir entre hambre y apetito, así como los estados emocionales (como ansiedad, tristeza o miedo) que se asocian al exceso de comida, con el objeto de que sea capaz de lograr un autocontrol sobre la forma de comer.

10. Lograr el mantenimiento o la regulación del peso corporal.

El terapeuta podrá implantar este programa tanto individualmente como en forma grupal, pero siempre con la intervención de los padres (Saldaña, 2001).

Desarrollo de los objetivos

Lograr el cambio de actitud

En las primeras sesiones, el terapeuta debe lograr que el niño o adolescente acepte que necesita ayuda para bajar de peso; debe sensibilizarlo y guiarlo en cuanto a los problemas que conlleva la obesidad, proporcionándole verbalmente toda la información al respecto.

Posteriormente, el niño o adolescente debe hacer una lista general de las ganancias que obtendrá al bajar de peso, así como una lista de los esfuerzos que tendrá que realizar para lograrlo.

Esto último lo puede hacer con ayuda del terapeuta a través de una lluvia de ideas[1] o, si así lo desea el paciente, puede realizar la lista en casa y en la siguiente sesión debe revisarla.

[1] La **lluvia de ideas** es una técnica en la cual el niño va diciendo todo lo que piensa con respecto a algo; en este caso se refiere a las ganancias que obtendrá al bajar de peso, como ser aceptado por sus compañeros del salón, poder irse de vacaciones a la playa sin que le dé pena ponerse un traje de baño, etcétera.

Material

Para el terapeuta: información detallada de los problemas físicos y psicológicos agregados a la enfermedad (caps. 4, 5 y 6).

Para el niño o adolescente: formato de registro de lista de ganancias y esfuerzos.

Ganancias y esfuerzos

Nombre: ______________________ Fecha: ________

Ganancias que obtendré al bajar de peso
y
esfuerzos que deberé realizar para lograrlo

Ganancias	*Esfuerzos*
1.	1.
2.	2.
3.	3.
4.	4.
5.	5.
6.	6.
7.	7.
8.	8.
9.	9.
10.	10.

Observaciones

El terapeuta debe tomar notas en cada sesión para evaluar los cambios de comportamiento que ocurren en el paciente y hacer los ajustes pertinentes al programa individual.

Hábitos de alimentación

Es de gran importancia hacerle ver al niño o adolescente que los alimentos que consume tienen en general un contenido calórico muy alto y, por el contrario, un nivel nutritivo bajo.

Para ello, el terapeuta debe utilizar los registros semanales de comida y contrastarlos con las tablas de nutrición presentadas en el capítulo 7, de modo que el paciente se dé cuenta de que debe cambiar su dieta normal por una dieta balanceada que le ayude a bajar de peso.

Asimismo, puede emplear los siguientes cuadros comparativos (Kirschenbaum, Johnson y Stalonas, 1987):

Comida de McDonald´s	
Alimento	*Calorías*
• Hamburguesa *Big Mac*	541
• Papas fritas	211
• Malteada de chocolate	363
Total de calorías consumidas:	1115

Comida saludable y balanceada	
Alimento	*Calorías*
• Un pieza mediana de pollo asado	165
• Media taza de brócoli con limón	45
• 1 rebanada de pan con una cucharada sopera de mantequilla	110
• 1 manzana mediana	66
• Media taza de gelatina	110
• 1 vaso de leche baja en grasa	80
Total de calorías consumidas:	576

Material

Para el terapeuta: apéndice A y registros de comida llenados por el paciente.

Para el niño o adolescente: cuadros comparativos de comida McDonald´s y comida saludable.

Registro de ingesta diaria

Ingesta diaria	*Calorías*
Comida	
	Núm. total de calorías: ______

Enseñanza de balances negativos en la alimentación

El terapeuta debe enseñar al niño o adolescente a balancear las calorías que ingiere de tal forma que dicho balance sea negativo y comience a bajar de peso.

Para ello, el psicólogo dará una explicación práctica y sencilla sobre el consumo de calorías, que puede ser de la siguiente manera:

La idea del balance energético (calorías) es crucial para entender cómo las calorías afectan el peso corporal.

El **balance energético** es simplemente la diferencia entre el número de calorías que se comen y el número de calorías que el cuerpo quema a través del ejercicio y la actividad que se realiza.

Si el balance energético es igual a *cero*, su cuerpo siempre se mantendrá igual.

Si el balance energético es *positivo* (el número de calorías ingeridas es mayor que el número de calorías quemadas), el exceso de calorías se reflejará en la grasa del cuerpo, aproximadamente en un rango de 500 g ganados por cada 3500 calorías que consuma de más, por lo que aumentará el peso. En un periodo de un año, esto puede dar lugar a un incremento significativo en el peso. Por ejemplo, un balance positivo de energía de sólo 150 calorías (lo que equivale a un dulce al día) puede hacer que un individuo suba de peso más de 7 kg en un año.

Si el balance energético es *negativo* (el número de calorías ingeridas es menor que el número de calorías quemadas), la grasa corporal disminuirá, aproximadamente en un rango de 500 g por cada 3500 calorías. En consecuencia, si se ejercita el cuerpo diariamente y se obtiene un balance negativo de 150 calorías, en un año se logrará bajar de peso alrededor de 7 kg (Williamson, 1990).

Posteriormente, se le pedirá al niño o adolescente que durante la siguiente semana consuma alimentos con menor contenido calórico y reporte en una hoja de papel los cambios que observó en su organismo. Por ejemplo, si se quedaba con hambre o si saciaba su hambre, si se sentía con mayor energía para realizar sus actividades o por el contrario si se sentía fatigado, o si tuvo un mayor número de evacuaciones; en general, los cambios que notó.

Cambios en el cuerpo

Nombre: ______________________________ .

Fecha: ______________________ .

Cambios que noté en mi cuerpo durante esta semana:

Material

Para el terapeuta: información referente a cómo mantener un equilibrio en el peso.

Para el niño o adolescente: formato para el registro de cambios en el cuerpo.

Establecimiento de metas

Cuando el niño se encuentre listo para dar el siguiente paso, se establecerán metas alcanzables. Es decir, con ayuda del terapeuta, el niño o adolescente debe decidir cuáles son sus objetivos primordiales dentro del programa; por ejemplo:

1. Bajar un determinado número de kilogramos.
2. Disminuir el porcentaje de sobrepeso.
3. Perder peso en un determinado tiempo.

A través de las sesiones se observarán los cambios físicos del niño y se reforzará positivamente el esfuerzo que el niño o adolescente haya realizado para alcanzar su meta; de igual manera que en el objetivo anterior, se deberán añadir tanto una lista de las ganancias que obtendrá al llegar a ésta, como una lista de los esfuerzos que tendrá que realizar para obtenerla.

Material

Para el niño o adolescente: formato de establecimiento de metas.

Meta establecida de esta semana

Nombre: ____________ Fecha: ____________

Meta establecida

Ganancias	*Esfuerzos*
1. Ejemplo: "Ya no me queda apretado el pantalón."	1. No comer dulces en la escuela.
2. "Me veo mejor en el espejo."	2. No tomar refrescos en casa.
3.	3.
4.	4.
5.	5.
6.	6.
7.	7.
8.	8.

Realizar contratos

Los puntos primordiales para establecer un contrato son:

a) Hacer énfasis en que el niño o adolescente sea quien seleccione las metas a las que se quiere enfocar.
b) Motivar al paciente a seleccionar metas alcanzables que tengan cierto grado de dificultad y que, si son logradas, tengan un valor positivo para él.
c) Asegurarse de que las metas sean parte de un "proceso" y no un "resultado final"; es decir, las "metas-proceso" deben incluir cambios de conducta en el niño o adolescente que lo "lleven poco a poco" a obtener el resultado final, que es disminuir el peso corporal. Por ejemplo, incrementar el ejercicio semanal empezando dos veces a la semana e ir aumentando la frecuencia hasta realizarlo diariamente, llevar un registro de la comida por cierto número de días e igualmente irlo incrementando, etc. Es de esperarse que entre los resultados finales también encontremos otras satisfacciones para el niño, como que se le ajuste un pantalón que ya no le quedaba o que reciba un halago por parte de algún conocido acerca de su cambio físico.
d) Establecer consecuencias. El hecho de que un niño logre la meta o las metas establecidas deberá tener una consecuencia positiva, que también debe estar establecida dentro del contrato.

Para recompensar el cumplimiento de las metas del contrato, los padres pueden ofrecer las recompensas del cuadro 9.1 de acuerdo con la edad del niño.

Cuadro 9.1. Actividades sugeridas para reforzar el esfuerzo del niño o adolescente con el objeto de alcanzar su meta.

Reforzadores positivos

Para niños:

- Día de campo.
- Besos y abrazos.
- Paseo o viaje incluyendo natación.
- Jugar con un tren eléctrico.
- Jugar ping-pong.
- Dibujar.
- Construir modelos de automóviles o aviones.
- Acompañar a alguno de los padres.
- Salir de vacaciones en compañía de toda la familia.
- Visitar a la familia.
- Ir a cazar ranas, grillos, etcétera.
- Ir a recoger flores.
- Pertenecer a un grupo de exploradores (*boy scouts*) o a otro grupo.
- Trabajar en el jardín con papá.
- Invitar a un amigo a quedarse en casa a dormir un fin de semana.
- Disfrazarse con ropa vieja.
- Moldear barro.
- Patinar.
- Leer libros placenteros.
- Comprarle una nueva mascota.

Para adolescentes:

- Jugar ajedrez.
- Bailar.
- Tomar lecciones de música.
- Escuchar música favorita.
- Ir a andar en bicicleta.
- Ir al boliche.
- Cantar.
- Visitar a un amigo.
- Ir a un museo.
- Ir a conocer una nueva ciudad.
- Ir de paseo a los centros comerciales.
- Aprender un idioma.
- Prestarle la ropa de mamá o papá.
- Ir al salón de belleza para un nuevo corte de cabello.

Para adolescentes:

- Organizar una fiesta.
- Levantarse tarde los fines de semana.
- Maquillarse.
- Ir al cine a ver películas de terror o comedia.
- Ver una obra de teatro.
- Ir de pesca.
- Ir a un desfile de modas.
- Comprar ropa nueva.
- Obtener permisos de sus padres para realizar alguna actividad que él elija.
- Ir a escalar una montaña.
- Asistir a una fiesta.
- Trabajar con herramientas en el garaje de papá.

El terapeuta pedirá al niño o adolescente que llene el formato del contrato comprometiéndose a por lo menos una actividad propuesta por él mismo, la cual deberá desarrollar en el transcurso de la semana; de igual forma, como ya se mencionó, se establecerá la consecuencia (reforzamiento positivo).

Material

Para el niño o adolescente: formato de contrato.

Formato de contrato

	Fecha: ____________
Durante esta semana haré: 1. 2. 3.	
Y por ello obtendré:	
	Nombre y firma del paciente

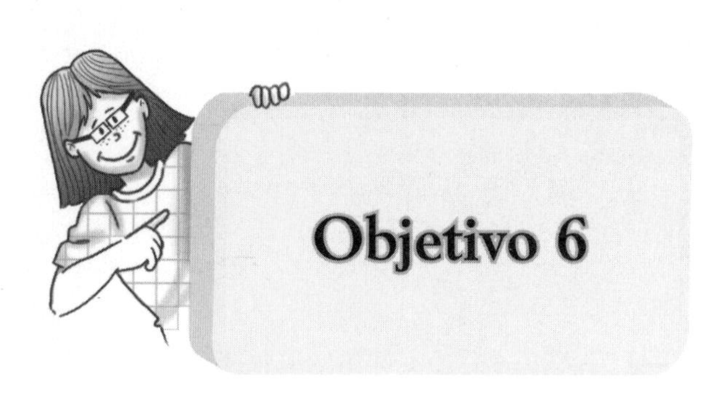

Llenar el autorreporte

El registrar las acciones nos da la oportunidad de darnos cuenta de los patrones de conducta que antes habían pasado inadvertidos. Por ejemplo, estar comiendo pequeñas porciones de comida durante todo el día es una conducta que normalmente presentan las personas obesas; éstas se sorprenden cuando se percatan de las grandes cantidades de comida que ingieren en un día.

El autorreporte proporciona información específica que ayuda a los pacientes a evaluar la manera en que se comportan. Dichas evaluaciones pueden dar lugar al establecimiento de reforzamientos positivos o negativos.

Por todo lo dicho, el terapeuta debe proporcionar al niño o adolescente el formato que deberá llenar con ayuda de alguno de los padres, y explicarle su objetivo.

Material

Para el niño o adolescente: formato de autorreporte de alimentación.

Autorreporte de alimentación

Fecha	*Lo que come*	*Cantidad*	*Lugar*	*Posición en la que come*	*Grado de hambre*	*Suceso anterior a la comida*	*Estado de ánimo que presenta*
				Sentado Parado Acostado	Nada Poca Mediana Mucha		Alegría Tristeza Enojo Frustración Ansiedad Aburrimiento Cansancio

Objetivo 7

Promoción de hábitos alimenticios

Después de un par de semanas de haber anotado los registros de comida del niño, será necesario realizar cambios en la forma de comer.

Asimismo, al niño no se le debe prohibir ningún tipo de comida que él desee, ya que este programa no consiste en el seguimiento de una dieta, sino que, por el contrario, aquí lo que se pretende es que el niño o adolescente aprenda a controlar su forma de comer y lo haga de manera responsable y adecuada.

Las conductas que hay que llevar a cabo son:

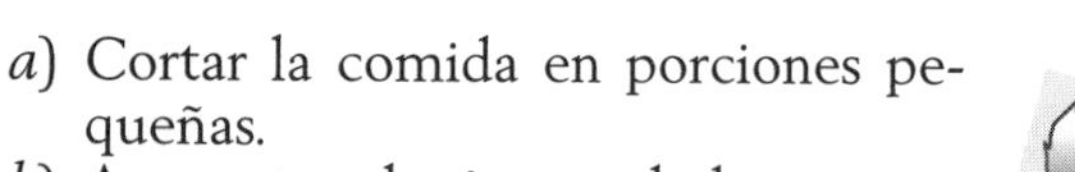

a) Cortar la comida en porciones pequeñas.
b) Aumentar el número de bocados en la comida y registrarlos en la hoja de comida.
c) Aumentar el tiempo que se tarda en comer, registrándolo en el formato adecuado.
d) Dejar los cubiertos en la mesa entre bocado y bocado.
e) No observar televisión, ni escuchar la radio durante la hora de la comida.
f) Establecer un solo lugar para comer, ya sea el comedor o la cocina.

El psicólogo proporcionará al niño o adolescente un nuevo formato en el que debe registrar los cambios mencionados, además de explicarle el propósito de dichos cambios.

Material

Para el niño o adolescente: formato de modificación conductual.

Modificación conductual

Fecha	*Comida*	*Lo que come*	*Hora de inicio*	*Hora de fin*	*Núm. de bocados*	*Cortó en pedazos pequeños su comida (sí/no)*	*Dejó los cubiertos en la mesa entre bocado y bocado (sí/no)*	*Observó la televisión y/o escuchó la radio durante la hora de la comida (sí/no)*	*Lugar donde come*

Involucrar al niño o adolescente en otras actividades

Dado que es necesario que el niño o adolescente incremente su actividad física y deje atrás su vida sedentaria, se le debe orientar hacia una actividad que sea de su agrado.

En el cuadro 9.2 se mencionan las actividades recomendadas y el gasto energético que éstas implican.

Cuadro 9.2. Actividades recomendadas para el gasto energético.

Ejercicio ligero	
Bailar lentamente Jugar ping-pong Andar en bicicleta a una velocidad lenta Caminar	4 calorías por minuto
Ejercicio moderado	
Trotar Practicar badminton Andar en bicicleta a una velocidad media Bailar (rápido) Bicicleta estacionaria a velocidad media	7 calorías por minuto
Ejercicio de alto rendimiento	
Saltar escalones Andar en bicicleta a una velocidad rápida Jugar squash, frontón pequeño, badminton Correr Nadar Jugar basquetbol, beisbol y futbol	10 calorías por minuto

También es necesario que lleve un registro semanal de la actividad física que realiza, por lo que se le pedirá al paciente que llene el formato de registro de actividad física realizada.

Material

Para el niño o adolescente: cuadro 9.2 y formato de registro de actividad física realizada.

Registro de actividad física realizada

Semana del ____ al ____ de ______ de ______ Nombre: __________

Registro de actividades físicas

Día	*Actividad física realizada*	*Tipo de ejercicio*			*Núm. de minutos*	*Calorías consumidas*
		L (4)	*M* (7)	*AR* (10)		
1.						
2.						
3.						
4.						
5.						
6.						
7.						

Total de calorías consumidas a la semana:

____

Clave: L = Lento, M = Moderado y AR = Alto Rendimiento.

Si el paciente decide establecer otras actividades recreativas que no involucren alguna actividad física, tendrá libertad de hacerlo siempre y cuando lleve un registro de las mismas. Por ejemplo, tomar clases de guitarra y/o de piano, acudir a un centro de idiomas, etcétera.

Observaciones

En cada sesión, el terapeuta debe escuchar las inquietudes del paciente que se darán debido a las movilizaciones emocionales que producirá la terapia; por ejemplo, las dificultades que se presentan con los padres, especialmente con la madre, lo que siente el niño cuando no come lo acostumbrado, los inconvenientes que tiene cuando se encuentra en una reunión familiar o simplemente con amigos de su clase, etcétera.

Desplazamiento de los sentimientos hacia otras actividades

Cuando el niño o adolescente se da cuenta de que su deseo de comer está motivado por algún sentimiento, como enojo, angustia, ansiedad, tristeza, felicidad o aburrimiento, y no porque su estómago esté requiriendo comida, hay formas de obstaculizar dicho deseo, como realizar otras actividades que le impidan comer. Entre estas actividades tenemos:

- Jugar fuera de la casa, ya sea con una pelota o andar en bicicleta.
- Realizar alguna actividad doméstica, como barrer, sacudir, trapear, etcétera.
- Visitar la casa de su vecino.

El terapeuta debe pedir al paciente que identifique sus sentimientos cuando coma, y que elabore una lista de actividades que puede realizar cuando se percate de que su necesidad de comer está motivada por un sentimiento y no por el hambre.

Material

Para el niño o adolescente: listado de actividades que funcionen para obstaculizar el deseo de comer.

Listado de actividades que obstaculizan el deseo de comer

Nombre: ____

En este espacio, enumera de 10 a 15 actividades que puedes realizar en lugar de comer un refrigerio cuando te sientes triste, enojado, aburrido, decepcionado, etc. Dichas actividades deben impedirte comer cuando las estés realizando.

Firma: ____________________

Objetivo 10

Mantenimiento del peso corporal

Una vez que el niño o adolescente haya llegado a las metas establecidas, y que haya logrado bajar el número de kilogramos adecuado para su peso ideal, será de gran utilidad que se recuerde lo trabajado y lo aprendido en el objetivo 3 sobre el balance energético. Asimismo, será necesario tener un seguimiento que nos permita observar si ha logrado mantenerse en dicho peso y sobre todo si ha continuado con los hábitos alimenticios aprendidos durante la terapia.

Si es así, se programarán citas esporádicas con el niño y sus padres: primero cada dos semanas, posteriormente cada tres semanas o cada mes a juicio del terapeuta, y finalmente una visita cada seis meses. En el caso de que el niño o adolescente no pudiera mantenerse en su peso ideal, sería de gran utilidad que se le sugiriera volver a la terapia.

Material

Para el terapeuta: formato de seguimiento de caso.

Formato de seguimiento de caso

Nombre: ________________ Fecha: ________

Peso ideal: ________________

Seguimiento de caso

Periodo de estabilización	*Peso actual*	*Observaciones*
1.		
2.		

Apéndices

Tabla de calorías

Frutas

	Medida	*Peso* (g)	*Calorías*
Aceitunas enlatadas	10 grandes	44	51
Aguacate	1 pieza	200	324
Chabacano	2 pequeños	70	34
Chirimoya	$^1/_8$ sin cáscara y sin semillas	68	64
Ciruela	1 pieza	66	36
Ciruela pasa	5 piezas	43	102
Coco	1 pieza	78	39
Durazno	1 mediano	98	42
Fresa	5 piezas	72	22
Guayaba	1 pieza	90	46

Frutas (*Continuación*)

	Medida	*Peso* (g)	*Calorías*
Higo	3 medianos	150	111
Kiwi	1 pieza grande sin cáscara	91	56
Lima	1 pieza	67	20
Mandarina	1 pieza	136	67
Mango	Media pieza sin cáscara	104	67
Manzana cruda con cáscara	1 pieza mediana	138	81
Melón	1/8 de toda la pieza	138	48
Naranja	1 pieza	131	62
Papaya	Media taza	76	30
Pasa	¼ de taza	41	124
Pera	1 mediana	166	98
Piña	Media taza	78	38
Plátano	1 mediano	118	109
Sandía	Media taza	76	24
Uva roja o verde sin semillas	Media taza	80	57

Verduras

	Medida	*Peso* (g)	*Calorías*
Ajo	1 cucharada pequeña	3	4
Apio cocido	2 ramas largas	75	14
Apio crudo	2 ramas largas	80	13

	Medida	*Peso* (g)	*Calorías*
Brócoli cocido sin sal	Media taza	78	22
Cebolla cocida	1 mediana	94	41
Cebolla cruda	Media taza	80	30
Chayote	Media taza	80	17
Chile serrano	1 pieza	45	18
Col cocida	Media taza	75	17
Col cruda	1 taza	70	18
Coles de Bruselas	Media taza	78	30
Coliflor cocida	Media taza	62	14
Coliflor cruda	Media taza	50	13
Elote	Media taza	82	89
Espárragos cocidos sin sal	Media taza	90	22
Espinaca cocida	Media taza	90	21
Espinaca cruda	Media taza	30	7
Frijoles	Media taza	67	22
Hongos cocidos	7 medianos	84	22
Hongos crudos	Media taza	35	9
Jícama	Media taza	60	23
Jitomate	1 mediano	123	26
Lechuga romana	1 taza	56	8
Papa horneada sin sal	Media taza	61	57
Pepino sin cáscara	1 taza	34	4
Pimiento morrón	Media taza	75	20
Rábano	Media taza	58	12
Tomate verde	Media taza	66	21
Zanahoria cocida	Media taza	78	35
Zanahoria cruda	1 mediana	61	26

Granos (se incluyen pan, cereal, harina y pasta)

Pan	*Medida*	*Peso* (g)	*Calorías*
Bolillo	1 pieza	28	85
Cuernitos	1 mediano	57	231
Galletas de soya saladas	6 pequeñas	18	78
Galletas habaneras de trigo	6 pequeñas	24	106
Pan blanco de caja	1 rebanada	25	67
Pan de dulce	Media pieza	35	96
Pan integral de caja	1 rebanada	28	69
Pan negro	1 rebanada	26	65
Pan para *hot dog* o hamburguesa	1 pieza	43	123
Tortilla de harina	1 mediana	32	104
Tortilla de maíz	1 mediana	26	58

Cereal	*Medida*	*Peso* (g)	*Calorías*
Cereal *Bran Flakes*	$^{2}/_{3}$ de taza	33	106
Cereal *Corn Flakes*	1 taza	28	102
Cereal de arroz	2 tazas	28	113
Cereal de avena	Media taza	117	73
Cereal de trigo	2 tazas	24	87

Granos y harinas	*Medida*	*Peso* (g)	*Calorías*
Amaranto	Media taza	98	365
Arroz blanco	Media taza	79	103
Arroz integral	Media taza	98	108
Harina blanca	1 taza	125	455
Masa de maíz	1 taza	114	416
Palomitas de maíz	2 tazas	16	61

Pasta	Medida	*Peso* (g)	*Calorías*
Fideos enriquecidos con huevo	Media taza	80	106
Macarrón	Media taza	70	99
Espagueti hervido sin sal	Media taza	70	99

Alimentos altos en proteínas

Carnes

Res	*Medida*	*Peso* (g)	*Calorías*
Bistec *rib-eye*	–	85	261
Bistec sin grasa	–	85	224
Bistec *sirloin*	–	85	229
Bistec *T-bone*	–	85	263
Costillas	–	85	400
Ternera asada	–	85	136

Carnero	*Medida*	*Peso* (g)	*Calorías*
Del centro	–	85	241
Hombro	–	85	292
Lomo	–	85	269
Pierna	–	85	191

Cerdo	*Medida*	*Peso* (g)	*Calorías*
Centro	–	85	252
Costillas	–	85	315
Jamón	–	85	151
Lomo	–	85	213
Pata	–	85	173

Alimentos altos en proteínas (*Continuación*)

	Medida	*Peso* (g)	*Calorías*
Pierna	–	85	232
Tocino	–	70	129

Menudencias	*Medida*	*Peso* (g)	*Calorías*
Corazón	–	85	149
Hígado	–	85	137
Riñón	–	85	122
Sesos	–	85	136

Embutidos	*Medida*	*Peso* (g)	*Calorías*
Bolonia de res o cerdo	–	85	269
Conejo	–	85	167
Mortadela	–	85	265
Peperoni de res o cerdo	–	85	422
Salami de cerdo	–	85	256
Salami de res	–	85	223
Salami italiano de cerdo	–	83	268
Salchicha de pavo	–	45	102
Salchicha de cerdo	–	85	314
Salchicha de res	–	45	142

Aves

Pollo	*Medida*	*Peso* (g)	*Calorías*
Alitas a la parrilla o asadas	–	85	246
Hígado	–	85	133

	Medida	*Peso* (g)	*Calorías*
Muslo con piel	–	85	210
Paté de hígado	–	85	171
Pechuga con piel, a la parrilla, frita o asada	–	85	168
Pechuga sin piel, a la parrilla, frita o asada	–	85	141
Pierna con piel	–	85	183
Pierna y muslo con piel, a la parrilla o asada	–	85	215
Pierna y muslo sin piel, a la parrilla o asados	–	85	174

Pavo	*Medida*	*Peso* (g)	*Calorías*
Alita con piel asada	–	85	195
Muslo con piel	–	85	133
Pechuga con piel asada	–	85	161
Pechuga sin piel asada	–	85	93
Pierna con piel	–	85	177
Pierna y muslo asados	–	85	159

Pato	*Medida*	*Peso* (g)	*Calorías*
Carne con piel, asada	–	85	286
Carne sin piel, asada	–	85	171

Pescado

Sin grasa	*Medida*	*Peso* (g)	*Calorías*
Atún en agua, enlatado	–	85	99

Pescado (*Continuación*)

	Medida	*Peso* (g)	*Calorías*
Huachinango	–	85	109
Robalo	–	85	124

Con poca grasa	*Medida*	*Peso* (g)	*Calorías*
Atún en aceite, enlatado	–	85	168
Salmón ahumado	–	85	99
Salmón rosado	–	85	127
Trucha	–	85	128

Con mucha grasa	*Medida*	*Peso* (g)	*Calorías*
Macarela	–	85	223
Sardina enlatada	–	85	177

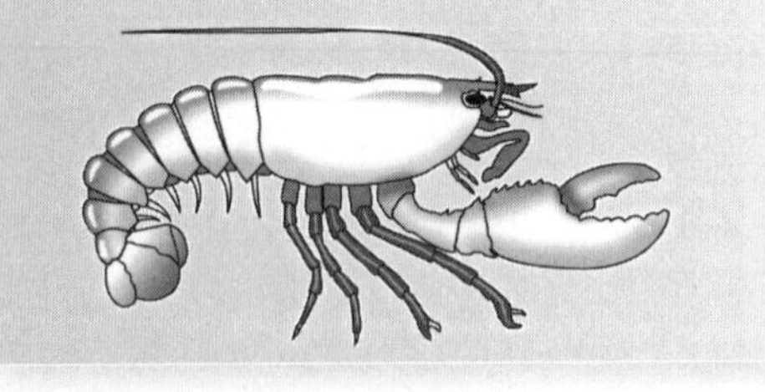

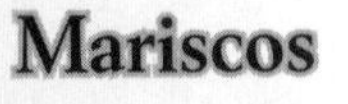

	Medida	*Peso* (g)	*Calorías*
Almejas empanizadas y fritas	–	85	333
Camarón empanizado	–	85	206
Camarón enlatado	–	32	38
Camarón hervido	–	85	84
Cangrejo cocinado al vapor	–	85	82
Langosta cocinada al vapor	–	85	83
Ostiones empanizados y fritos	–	85	225
Pulpo cocinado al vapor	–	85	139

Huevos

	Medida	*Peso* (g)	*Calorías*
Clara de huevo cruda	2 grandes	67	33
Huevo entero crudo	1 grande	50	75
Sustituto líquido de huevo	Media taza	126	105
Yema de huevo cruda	1 grande	17	59

Legumbres

	Medida	*Peso* (g)	*Calorías*
Alfalfa cruda	1 taza	33	10
Arvejón hervido sin sal	Media taza	98	116
Cacahuates crudos	$^{1}/_{3}$ de taza	48	273
Chícharo con sal	Media taza	80	67
Frijol blanco	Media taza	90	127
Frijol negro hervido	Media taza	86	114
Frijol pinto	Media taza	86	117
Garbanzo hervido	Media taza	82	134
Germen de frijol hervido sin sal	Media taza	47	38
Germen de soya hervido sin sal	Media taza	86	149
Habas hervidas	Media taza	85	94
Lentejas	Media taza	99	115
Mantequilla de cacahuate	2 cucharadas	32	190

Nueces y semillas

	Medida	*Peso* (g)	*Calorías*
Almendra	–	100	596
Almendras tostadas sin sal	30 piezas	28	275
Avellana	–	100	670
Cacahuates tostados	–	100	628
Nuez de Brasil	1/3 de taza	47	306
Nuez de Castilla	–	100	712
Nuez de la India	1/3 de taza	46	262
Nuez de macadamia tostada	1/3 de taza	45	321
Pepita de calabaza seca	¼ de taza	16	71
Piñón	–	100	601
Pistaches tostados	1/3 de taza	43	243
Semillas de girasol	¼ de taza	32	186

Productos lácteos

Leche	*Medida*	*Peso* (g)	*Calorías*
Chocolate en polvo para mezclar con leche	1 vaso de leche de 200 ml	25	224
Leche baja en grasa	1 taza	244	102

	Medida	*Peso* (g)	*Calorías*
Leche condensada	1 onza	38	123
Leche de chocolate baja en calorías	1 taza	250	158
Leche entera	1 taza	244	150
Leche evaporada	1 onza	32	42
Leche evaporada baja en calorías	1 onza	32	25
Yoghurt bajo en grasa	1 taza	245	155
Yoghurt bajo en grasa con fruta	1 taza	227	225

Crema	*Medida*	*Peso* (g)	*Calorías*
Crema agria	1 cucharada	12	26
Crema batida	1 onza	30	103

Postres congelados	*Medida*	*Peso* (g)	*Calorías*
Helado de chocolate	1½ tazas	198	428
Helado de vainilla	1½ tazas	198	398
Yoghurt de chocolate	1 taza	144	230

Quesos

	Medida	*Peso* (g)	*Calorías*
Americano	1 rebanada	57	213
Chihuahua	–	100	376

Quesos (*Continuación*)

	Medida	*Peso* (g)	*Calorías*
Cottage	2 tazas	420	434
Cottage sin grasa	2 tazas	290	245
Edam	1½ onzas	43	152
Gouda	1½ onzas	43	152
Gruyère	1½ onzas	43	176
Manchego	–	100	395
Oaxaca	–	100	313
Panela	–	100	278
Parmesano	–	100	391
Queso crema	2 cucharadas	28	99
Queso crema descremado	2 cucharadas	28	28
Queso de cabra	1½ onzas	43	155

Grasas y aceites

Grasas	*Medida*	*Peso* (g)	*Calorías*
Mantequilla con sal o sin sal	1 cucharada	14	102
Margarina	1 cucharada	14	101
Margarina baja en calorías	1 cucharada	14	50

Aceites vegetales	*Medida*	*Peso* (g)	*Calorías*
Aceite de canola	1 cucharada	14	124
Aceite de coco	1 cucharada pequeña	10	135
Aceite de girasol	1 cucharada	14	120
Aceite de hígado de bacalao	1 cucharada pequeña	10	130
Aceite de maíz	1 cucharada	14	119
Aceite de oliva	1 cucharada pequeña	10	90

Endulzantes

	Medida	*Peso* (g)	*Calorías*
Azúcar blanca granulada	1 cucharada	4	16
Azúcar glass	1 cucharada	3	10
Azúcar mascabado	1 cucharada	5	17
Chispas de chocolate semidulces	60 piezas	28	136
Chocolate de leche	1 barra	44	226
Chocolate para hornear	1 onza	28	148
Jarabe de maple	1 cucharada	20	52
Miel	1 cucharada	21	64
Polvo de cocoa sin endulzar	1 cucharada	5	11

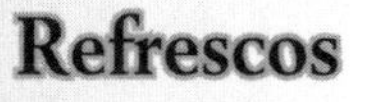

Refrescos

	Medida	*Peso* (g)	*Calorías*
De bajas calorías y con cafeína	12 onzas (370 ml)	–	4
Ginger ale	12 onzas (370 ml)	–	124
Lima-limón	12 onzas (370 ml)	–	147
Naranja	12 onzas (370 ml)	–	179
Refrescos de cola con cafeína	12 onzas (370 ml)	–	152

Té

	Medida	*Peso* (g)	*Calorías*
Té de hierbas	6 onzas (180 ml)	–	2
Té negro	6 onzas (180 ml)	–	2

Dulces, golosinas y productos elaborados a base de harinas

	Peso en (g)	*Calorías*
Buñuelos	100	425
Chocolate con almendras	100	554-583
Chocolate en barra	100	539-542
Helados de agua	100	140
Helados de crema	100	209-212
Mermelada de frutas	100	235-250

Directorio de lugares adonde pueden acudir los padres para pedir ayuda

Lugar	*Coordinador del programa*	*Tipo de apoyo*	*Dirección y teléfono*
Instituto Nacional de Psiquiatría Clínica de Trastornos de la Conducta Alimentaria	Alejandro Caballero Romo	• Consulta psiquiátrica externa • Terapia cognitivo-conductual • Terapia de imagen corporal • Grupo de asesoría para padres • Grupo socioeducativo • Servicio de terapia familiar • Nutriología • Hospitalización	Calzada México-Xochimilco núm. 101, col. San Lorenzo Huipulco, Deleg. Tlalpan, C.P. 14370, México, D. F. Tel.: 56-55-28-11
Instituto Nacional de Nutrición Salvador Zubirán (México, D. F.)			Vasco de Quiroga núm. 15, col. Sección XVI Tlalpan, C.P. 14000, México, D. F. Tel.: 55-54-87-09 y 55-73-06-11

Colegio Nacional de Nutriólogos	Escuela de Dietética y Nutrición del ISSSTE		Av. San Fernando núm. 15, col. Toriello Guerra, C.P. 14050, México, D. F. Tel: 56-06-05-32 y 56-65 80-56

Bibliografía

Agatston, A., *The South Beach Diet*, Rodale, Estados Unidos de América, 2003.

Ajuriaguerra, J., *Manual de psicopatología del niño*, Masson, España, 1987.

Asociación Psiquiátrica Americana, *Manual Diagnóstico y Estadístico de los Trastornos Mentales. DSM-III*, 1a. reimpresión, Masson, España, 1984.

Beil, B., *El niño con sobrepeso*, Médici, Barcelona, 2001.

Berinstain, C. y D. Szydlo, *Qué es la psicoterapia*, CEPAC, 1998.

Birch, L. y J. Fisher, "Development of eating behaviours among children and adolescents", en *Pediatrics Journal*, vol. 101, núm. 3, 1998, pp. 539-548.

Blackburn, G. e I. Greenberg, "Multidisciplinary approach to obesity therapy", en J. Platon y L. Collipp (eds.), *Childhood Obesity*, PSG Publishing, Massachusetts, 1980, pp. 113-119.

Brownell, K. y A. Stunkard, "Behavioral treatment of obesity in children", en J. Platon y L. Collipp (eds.), *Childhood Obesity*, PSG Publishing, Massachusetts, 1980, pp. 259-279.

Bruch, H., "The importance of overweight in childhood obesity", en J. Platon y L. Collipp (eds.), *Childhood Obesity*, PSG Publishing, Massachusetts, 1980, pp. 113-119.

Burani, J. y L. Rao, *Buenos carbohidratos, malos carbohidratos*, Promexa, México, 2003.

Burniat, W., *Child and Adolescent Obesity, Causes and Consequences, Prevention and Management*, Cambridge University Press, Gran Bretaña, 2004.

Calzada, L. R., *Obesidad en niños y adolescentes*, Editores de Textos Mexicanos, México, 1993.

Campollo, R. O., *Obesidad, bases fisiopatológicas y tratamiento*, Porrúa, México, 1995.

Coopersmith, S., *The Antecedents of Self-Esteem*, Consulting Psychologist Press, EUA, 1967.

Crespo, C. J. *et al.*, "Television watching, energy intake and obesity in US children: results from the Third National Health and Nutrition Examination Survey, 1988-1994", en *Archives Pediatric Adolescence Medicine*, núm. 155, 2001, pp. 360-365.

Dietz, W. H., "The causes and health consequences of obesity in children and adolescents", en *Pediatrics Journal*, vol. 101, núm. 3, 1998, pp. 518-525.

Dietz, W. H. y S. Gortmaker, "Do we fatten our children at the television set? Obesity and television viewing in children and adolescents", en *Pediatrics*, núm. 75, 1985, pp. 807-812.

Dorantes, M. y N. Coyote, "El problema de la obesidad infantil", en *Wyeth Nutrición, fórmulas de investigación de vanguardia*, vol. 2, núm. 4, Paidós, 1995, pp. 3-6.

Encuesta Nacional de Nutrición, 1999, Secretaría de Salud Pública, Instituto Nacional de Salud Pública e Instituto Nacional de Estadística Geografía e Informática, Secretaría de Salud Pública, México, 1999.

Feldman, W. y B. L. Beagen, "Screening for childhood obesity", en *Canadian Guide to Clinical Preventive Health Care*, 1994, pp. 334-344.

Franco, L., "Obesidad. Espejismo de salud y belleza en niños lactantes", en *Revista Mexicana de Pediatría*, vol. 70, núm. 6, 2003, pp. 271-272.

García, S. S., *Actitud hacia la obesidad en niños y niñas de escuelas públicas y privadas y su relación con el Índice Nutricional (IN) y preocupación por el peso corporal*, tesis de licenciatura, Facultad de Psicología, UNAM, 2000.

Gómez, P. M. y A. E. Ávila, "¿Los escolares mexicanos preadolescentes hacen dieta con propósitos de control de peso?", en *Psicología Iberoamericana*, vol. 6, núm. 2, 1998, pp. 37-45.

Gonzalez, J. (locutor), *An epidemic of childhood obesity* (grabación en casete), Audio Digest Pediatrics, vol. 48, núm. 20, 2002.

Gortmarker, S. *et al.*, "Television as a cause of increasing obesity among children in the United States, 1986-1990", en *Archives Pediatric Adolescence Medicine*, núm. 150, 1996, pp. 356-362.

Herzog, B. D., V. E. Beresin y E. V. Charat, "Anorexia nervosa", en Jerry M. Wiener y Mina K. Dulcan (eds.), *The Textbook of Child and Adolescent Psychiatry*, 3a. ed., The American Psychiatry Publishing, EUA, 2004, pp. 671-689.

Jeffrey, D. B., R. W. McLlelarn y D. T. Fox, "The development of children's eating habits: the role of television commercials", en *Health Education Q*, vol. 9, núms. 2-3, 1982, pp. 174-189.

Kirschenbaum, S. D., W. G. Johnson y P. M. Stalonas, *Treating Childhood and Adolescent Obesity*, Pergamon Press, Gran Bretaña, 1987.

Kolb, L. C., *Psiquiatría Clínica*, Interamericana, México, 1988.

Kornhaber, A. y E. Kornhaber, "Pychopathological obesity types in children and their treatment" en J. Platon y L. Collipp (eds.), *Childhood Obesity*, PSG Publishing, Massachusetts, 1980, pp. 169-176.

Laing, P., "Childhood obesity a public health threat", en *Pediatric Nursing,* vol. 14, núm. 10, 2002, p. 14.

Laurel, E., E. Watters y E. Elliot, "Evidence based management of childhood obesity", en *British Medical Journal,* núm. 323, 2001, p. 916.

Lewis, M., "Overview of development from infancy trough adolescence", en Jerry M. Wiener y Mina K. Dulcan (eds.), *The Textbook of Child and Adolescent Psychiatry,* 3a. ed., The American Psychiatry Publishing, EUA, 2004, pp. 13-44.

Lissau, I. y T. Sorenson, "Parental neglect during childhood and increased risk of obesity in young adulthood", en *Lancet,* núm. 343, 1994, pp. 324-327.

Lohman, T. G., "The use of skin folds to estimate body fatness on children and youth", en *Journal of Physical Education, Recreation & Dance,* vol. 58, núm. 9, ERIC Clearing House on Teaching and Teacher Education (ACCTE), Washington, D. C., 1987, pp. 98-102.

Mayo Foundation for Medical Education and Research (MFMER), *Obesity,* EUA, 2001.

Mills, J. K. y G. Andrianopoulos, "The relationship childhood onset obesity and psychopathology in adulthood", en *Journal of Psychology,* vol. 127, núm. 5, 1993, pp. 547-552.

Muñoz, M. y J. A. Ledesma, *Los alimentos y sus nutrientes, tablas de valor nutritivo de alimentos,* McGraw-Hill, México, 2002.

O'Dea, J. y S. Abraham, "Association between self-concept and body weight, gender, and pubertal development among male and female adolescents", en *Adolescence,* núm. 34, 1999, pp. 69-79.

Porti, M., *La obesidad infantil,* Grupo Imaginador de Ediciones, Buenos Aires, 2003.

Pritchard, M., S. L. King y D. M. Czajka-Narins, "Adolescent body mass indices and self-perception", en *Adolescence,* núm. 32, 1997, pp. 863-879.

Richardson, S. A. *et al.*, "Cultural uniformity in reaction to physical disabilities", en *American Sociological Review,* núm. 26, 1961, pp. 241-247.

Rizza, R. A. y G. G. Harrison, *Encyclopedia of foods, a guide to healthy nutrition,* Academic Press, San Diego, California, EUA, 2002.

Rubio, G., "Trastornos de conducta alimentaria en la niñez", en *Psicología Interamericana,* vol. 2, núm. 4, 1994, pp. 68-85.

Saldaña, G. C., "Tratamientos psicológicos para la obesidad infantil y juvenil", en L. Serra y J. Aranceta, *Obesidad infantil y juvenil,* Masson, Barcelona, 2001, pp. 155-164.

Schilder, P., *The Image and Appearance of the Human Body,* Londres, Inglaterra, 1935.

Steinhauer, P. y Q. Rae-Grant, *Psychological Problems of the Child in the Family,* Basic Books, EUA, 1983.

Strauss, R., "Childhood obesity and self-esteem", en *Pediatrics,* vol. 105, núm. 1, 2000, p. 15.

Szydlo, D. y J. L. Woolston, "Bulimia nervosa", en Jerry M. Wiener y Mina K. Dulcan (eds.), *The Textbook of Child and Adolescent Psychiatry,* 3a. ed., The American Psychiatry Publishing, EUA, 2004, pp. 659-670.

Szydlo, S. y J. Woolston, "Infant and Childhood Obesity", en Jerry M. Wiener y Mina K. Dulcan (eds.), *The Textbook of Child and Adolescent Psychiatry*, 3a. ed., The American Psychiatry Publishing, EUA, 2004, pp. 691-706.

Tucker, L. A., "The relationship of television viewing to physical fitness and obesity", en *Adolescence*, núm. 21, 1986, pp. 797-806.

Williamson, D., *Assessment of Eating Disorders, Obesity, Anorexia, and Bulimia Nervosa*, Pergamon Press, EUA, 1990.

Índice analítico